★《待宵の月》2023年、500×300mm、
オールビスク・ビスクアイ・人毛・インドシルク・インポートレース

★《待宵の少女 月華》2023年、500×300mm、
オールビスク・ビスクアイ・人毛・インドシルク・インポートレース・アンティークレース（右頁も）

★《雪月花》2020年、500×300mm、
オールビスク・樹脂粘土・硝子アイ・モヘア・シルク・レース

★《待宵の少女 奏》2023年、500×300mm、
オールビスク・ビスクアイ・モヘア・インドシルク・インポートレース

夜空を見上げると、月が煌々と、もしくは朧げに光を放っている。空に浮かぶものの中にあって、月は不思議な存在だ。夜が訪れるごとに、まん丸から半分、そして細い円弧へと姿を変えていく……その欠ける部分も、上側だったり下側だったりとさまざまだ。その月に、特別な風情を感じるのは当然のことかもしれない。平安時代には、月を愛でる習慣が中国から日本の貴族社会に伝わり、

十五夜の名月を眺めつつ詩歌などを楽しむようになったという。

十五夜は旧暦8月15日、その夜にのぼる月は、中秋の名月と称される。そしてその前夜にのぼるのが待宵の月。名月を心待ちにしつつ仰ぎ見た空に輝く月だ。名月には少し及ばず、だがそれゆえに趣き深い月だ。

人形作家・月が、初個展のコンセプトにしたのは、「待宵の月」だった。名月の完全さには一歩及ばない不完全さ——しかしそれは、「未だ見る事の叶わない未来を待ち望みながら変化し続ける存在」なのであり、「その刹那すべてに美しさがあり、価値があり、意味がある」と月は記す。

確かに月が生み出す人形は、可愛らしさ、快活さ、または苦悩といった明確な表情を醸さない。その表情は繊細で、まるで満ち欠けする月のように移ろいゆくように感じる。ビスクドールならではの透き通るような肌の質感が、その移ろいや儚さを倍加させているようにも思う。

月は、文化服装学院でアパレルデザインを学んだのち、2010年よりDOLL SPACE PYGMALIONで吉田良、陽月に球体関節人形を学ぶ。ビスクドールの制作を始めたのは2019年だ。細やかな造形表現はもちろんのこと、瞳の素材も、ビスクや硝子、レジンなどを使い分けて、それぞれの人形の特質を浮かび上がらせている。表紙に使用した《Lucille》の瞳の黄金の輝きは、その衣装の豪奢さと相まって、とりわけ印象的だ。なお、こうした衣装も非常に巧みに作り上げられていて、これは文化服装で学んだものが生かされているのだろうか。

gallery hydrangeaのグレイの壁も、まさに夜闇の風情で、「月」を想いながら作品を味わう格好の空間であった。

（沙月樹京）

未来を待ち望みながら 人形たちが醸す 移ろいゆく刹那の美

◀（左上）《猫》2023年、70×70mm（台座有99×85mm）、陶器・木
（右上）《ビスクのオブジェ》2023年、110×80mm、ビスク・ドライフラワー・ガラス
（左下）《ビスクの仮面 空色》2021年、130×100mm、ビスク・シルクリボン・ドライフラワー・ガラス
（中央）《ビスクの仮面 セピア色》2022年、60×70mm（台座有110×135mm）、ビスク・シルクリボン・木

※月 個展「待宵の月」は、2023年8月24日～28日に、東京・曳舟のgallery hydrangeaにて開催された。

KAGEYAMA TAEKO 影山多栄子

●写真＝田中流　文＝沙月樹京

★《長月当番》2023年、22×17×22cm、布・石粉粘土・ガラスなど

白い空間に輪になって
集った人形たち

★《葉月当番》2023年、28×17×24cm、布・石粉粘土・ガラスなど

★《おさないナガシロマル》2023年、15.5×10×14cm、布・石粉粘土など

★《おさないナガクロマル》2023年、14.5×11×12.5cm、布・石粉粘土など

★《淡犬2023（灰）》2023年、
11.5×10×12cm、
モヘア・石粉粘土など

★《ゆかいなクロミツ（あ）》2023年、13.5×10×13.5cm、布・石粉粘土など

★《ゆかいなシロミツ》2023年、13.5×12×15cm、布・石粉粘土など

★《まだらうさぎ》2023年、17×12×14.5cm、布・石粉粘土など

★《透明あたまの塔》2023年、11.5×4×3.2cm、石粉粘土・ガラス・木など

★《うさつぶがみ舟（白）》2023年、7.8×5.5×10cm、布・石粉粘土など

★《金の目の塔》2023年、14.2×8×8cm、石粉粘土・ガラスなど

★《こゆきまじり》2023年、17.5×11.5×13.5cm、布・石粉粘土など

★《うさつぶがみ舟（黒）》2023年、7.8×5.5×10cm、布・石粉粘土など

★《フォーク》2023年、18×10×14cm、布・石粉粘土など

★《やかん》2023年、16×10×13cm、布・石粉粘土など

真っ白な長方形の空間。その空間の壁面に、ずらり人形が並んでいる。足を踏み入れると、ほどよく狭い空間ゆえ、四方から、しかも間近から人形たちに歓待されているような気分になる。

「おやおやマア
ようこそいらっしゃいました
あなたはたいへんおめずらしい…
水とタンパク質　まぼろし型ですな」
水とタンパク質？ それは人間のことらしい。そして「まぼろし型」なのは、人間は人形より先にいなくなってしまうがゆえに、まぼろしのような存在だと思っているかららしい。人形たちが月1回催している集いに、われわれは紛れ込んでしまったというわけだ。左の壁の中央には、少し大きな三角帽。それと向かい合わせの奥の壁には、丸く大きな2つの耳（?）のある人形。それぞれ《葉月当番》《長月当番》といい、前者は8月の、後者は9月の集いの幹事役なのだそうだ。

こうしたユニークな世界を生み出しているのは、影山多栄子。２００３年に初個展を開催し、その後コンスタントに個展、グループ展で作品を発表し続けている作家だ。

影山が人形制作を始めたのは20代半ば頃。絵を学び演劇に関わるようになっていたが、少々難しさを感じるようになる。そしてふと高校生の時に写真で見て印象に残った市松人形のことを思い出し、教室を探した。しかし当時は良い教室に出会えず、市松人形ではなかったが、山吉由利子人形教室に通う。そこでは球体関節人形を学んだ。その後、宮崎優人の元で市松人形を習うことができたが、習ってみて、「私が作りたいのはこういうことじゃないんだ！」「私が作りたいのは〝市松さん〟ではなく、高校生のとき写真集で見た〝人形の存在感〟なのだ」と悟ることができたという。そして、いまの作風にたどり着いたのだ。

造形もユニークだが、名付け方や設定などもなかなか面白い。《ゆかいなクロミツ（あ）》《ゆかいなシロミツ》の「ミツ」は三つ編みのことだという。「つぶがみさん」のシリーズは、「ご飯を食べるときにそばにいてくれる神様」。この作品や《ま

★《つぶがみさん（青ぼうし）》2023年、7.7×7×7cm、布・石粉粘土など

★《つぶがみさん（赤ぼうし）》2023年、7.6×7×7cm、布・石粉粘土など

★展示風景

ユニークな造形と物語性で生まれる人形の存在感

だらうさぎ》などは、肩まで粘土で造形している。《やかん》は、フリーマーケットで約5ミリほどの小さなやかんと出会ったことで生まれた作品。その小さなやかんは、襟元にぶら下がっている。

こうした物語性は、人形の佇まいをより身近に感じさせる要因のひとつになっているだろう。それが、影山が作り出したいという〝人形の存在感〟をさらに確かなものにする。あなたもぜひ、人形たちが賑やかに語る物語に、耳を傾けてみたい。

（沙月樹京）

※ピカレスクアート ギャラリーのnoteの記事「影山多栄子インタビュー」「作品解説」を参考にさせていただいた。

※影山多栄子 個展「長月に集う人形たち」は、2023年8月30日〜9月10日に、東京・参宮橋のピカレスクアート ギャラリーにて開催された。

櫻井結祈子

SAKURAI YUKIKO

◉写真＝田中流／文＝沙月樹京

知らず迷い込んだ
世界の果ての森

★《森の案内人》2023年、w10×d5.5×h22.5cm、陶・針金

★《森のガーディアン》2023年、w20.5×d22×h36cm、陶

★《螺旋の住人―水中の夢》2023年、w10×d11×h12.5cm、陶

★《森の眼I》2023年、w12×d10.5×h16cm、陶

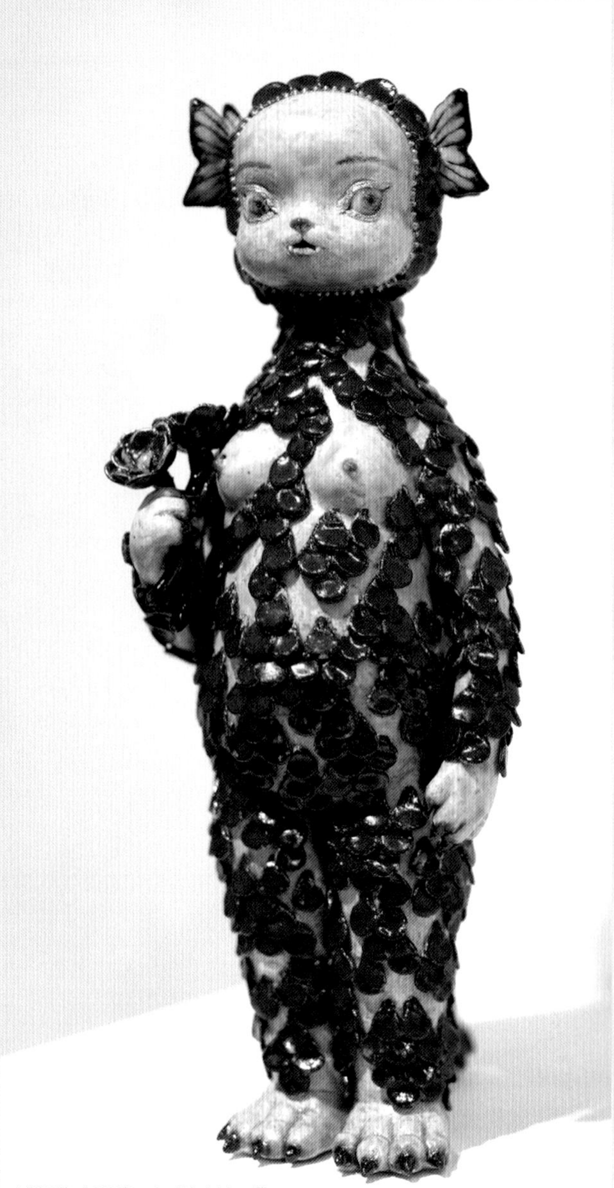

★《花の装い》2023年、w9×d11×h24cm、陶

★《アミユメダケ》2023年、w8.5×d8×h10.5cm、陶

★《星の囁きⅠ》2023年、w8×d2×h9cm、陶

★《春を知らせる鳥》2023年、w12×d13×h25cm、陶

★《星の囁きⅡ》2023年、w10×d2×h11.5cm、陶

★《森の眼Ⅱ》2023年、w14×d10×h11cm、陶

★《尻尾の変化》2023年、w14×d7×h22.5cm、陶

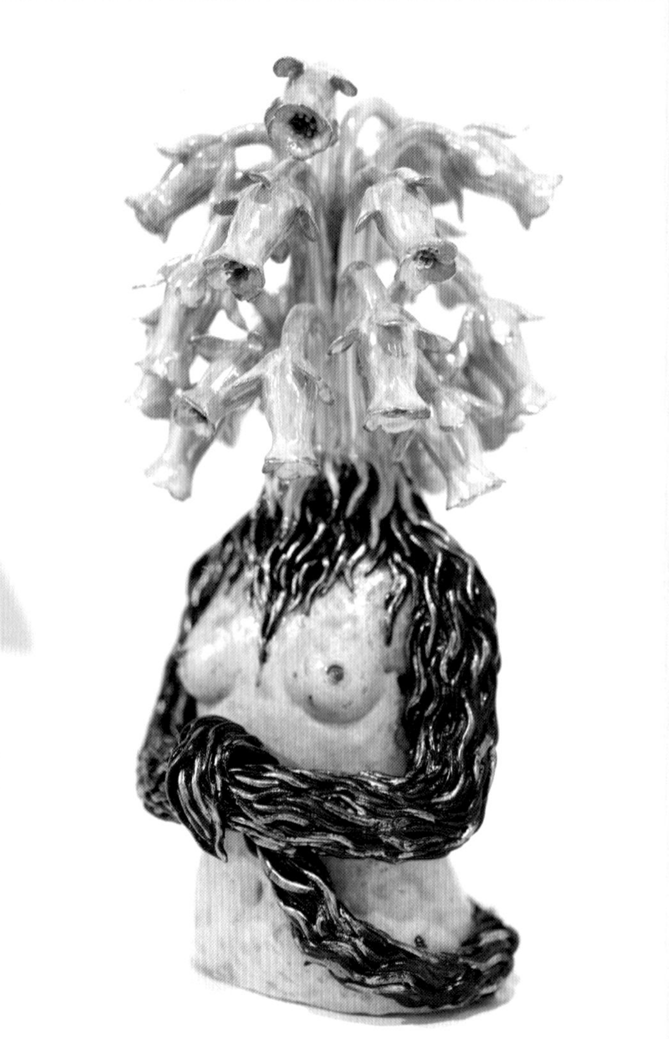

★《頭の変化》2023年、w9.5×d11×h21cm、陶

★（左）《小龍Ⅱ》2022年、w6.3×d9×h9.5cm、陶
（右）《小龍Ⅰ》2022年、w6.3×d11×h21cm、陶

★（左）《蝙蝠Ⅱ》（右）《蝙蝠Ⅰ》いずれも2021年、w3.5×d3.5×h11cm、陶

★《未知のアイテム蒐集》2023年、22×27.3cm、キャンバス・アルキド樹脂

★《かくれんぼ》2023年、22×27.3cm、キャンバス・アルキド樹脂

★《月夜、微睡む獣》2023年、30×24cm、キャンバス・アルキド樹脂

★《卵の中の夢》2023年、w16×d14×h20cm、陶

★《鉱物竜の棲家》2023年、w16×d15×h24cm、陶

★《暖かな沼地》2023年、w22×d16.5×h16.5cm、陶

★展示風景

人の手が及ばない奇妙な生き物たちの楽園を夢想

相馬俊樹は櫻井結祈子の作品について、次のように形容した。「いびつな者、グロテスクな者。欠けた者、そして過剰な者。暗闇にひっそりと棲まう獣たち。／しかるに彼らのなんとなつっこいことか。闇の彼方から、不安の淵から贈られてくる、無垢の愛らしさ、母胎をなつかしむあたたかみ、静穏の至福」……。

確かにいびつで少々グロテスク。なつっこさを感じさせるのは、それらの獣たちが、人間のように皮膚を露出させ、人間に似た表情を見せているからだろう。そして、見た目のグロテスクさに反して、その瞳は無垢で純粋。それらは、穢れを知らない楽園に住んでいるように思える。

★展示風景

その生き物たちが住まう場所は、世界の果ての森の中。そこにわれわれは、旅の途中に迷い込んだ。不思議な姿を見せているのは生き物だけでなく、空に煌く星も、目を見開いてわれわれを見下ろしている。しかし、これらを奇妙だと感じるのは、人間の勝手な価値観だろう。櫻井の世界は、生命のあり方やその幸福のあり方を根源から問い直しているのではないか。森を守るガーディアンやカタツムリの殻のランプを持つ案内人、草やキノコに囲まれた大きな眼球……おそらく、それらの命が互いに絡み合うことで、森は安寧を保っている。その森に迷い込んだとして、その森の安寧を侵犯することなど、われわれにできるだろうか。自由気ままに暮らすそのものたちを陰からそっと、羨望の眼差しをもって見守っていたくなるのではないか。

そのような空想の世界を、櫻井は緻密な陶の作品として生み出す。陶ならではの素朴な雰囲気が、獣たちの無垢さや純粋さをいっそう印象づけているとも言えるだろう。その作品を通して、人の手の及ばない楽園を夢想しよう。われわれが失ってしまった何かが見つかるかもしれない。

（沙月樹京）

※櫻井結祈子 個展「果ての森の記録」は、2023年8月5日〜19日に、東京・日本橋の不忍画廊にて開催された。

●文=志賀 信夫

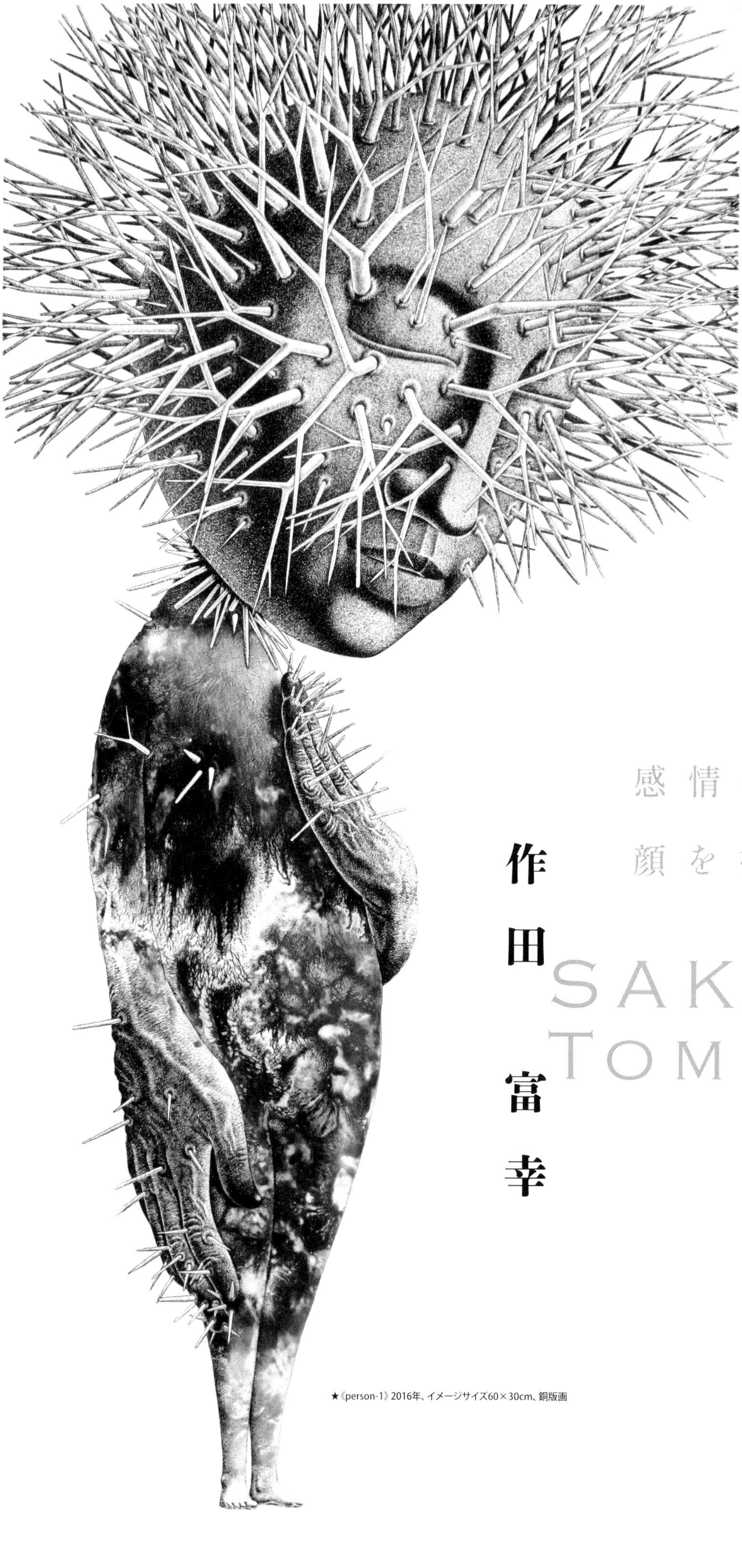

感情をテーマに顔を描き続ける

作田富幸

SAKUTA TOMIYUKI

★《person-1》2016年、イメージサイズ60×30cm、銅版画

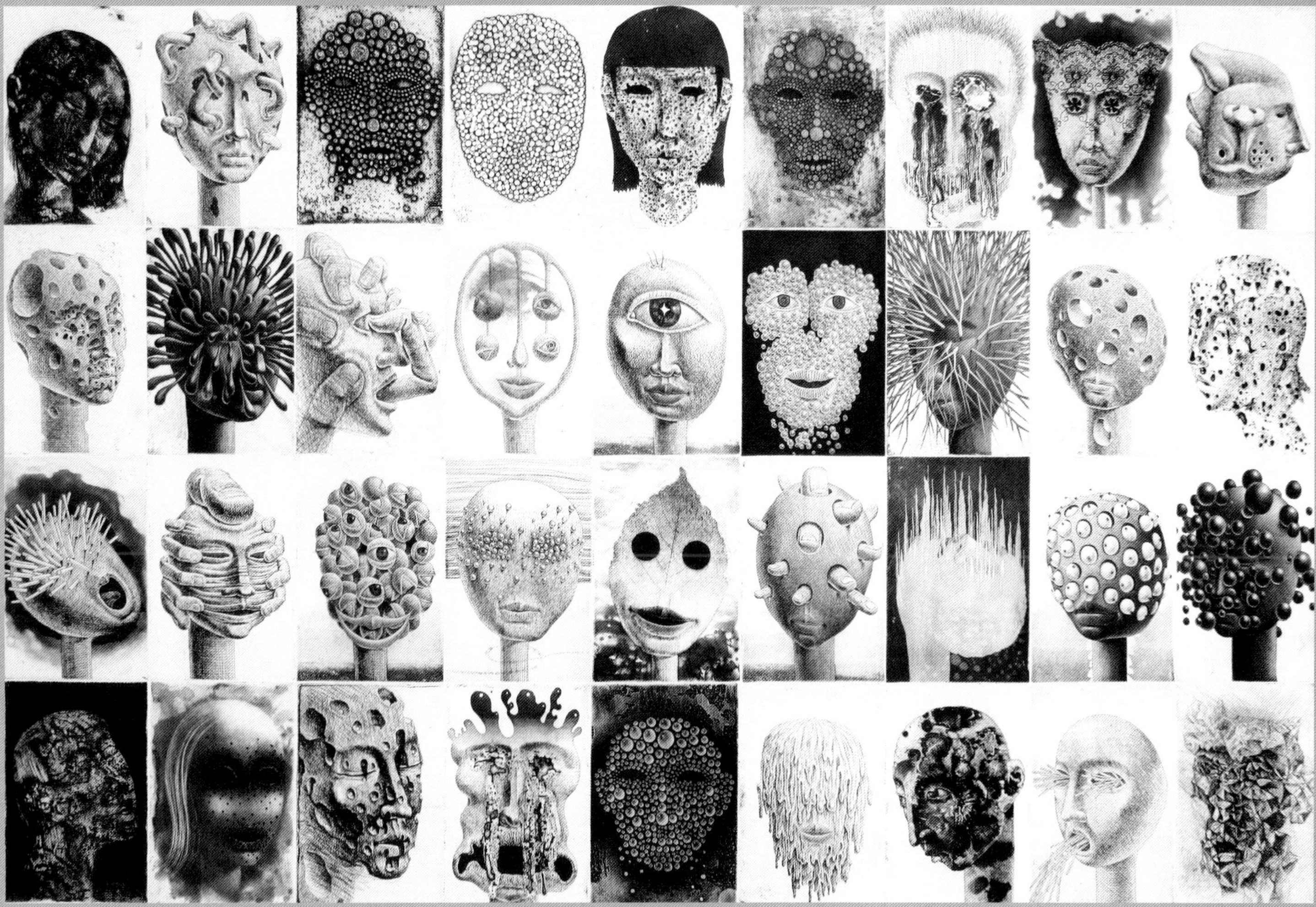

★《100faces-41》2012年、イメージサイズ60×90cm、銅版画

★《5人娘》2003年、イメージサイズ60×91cm、銅版画

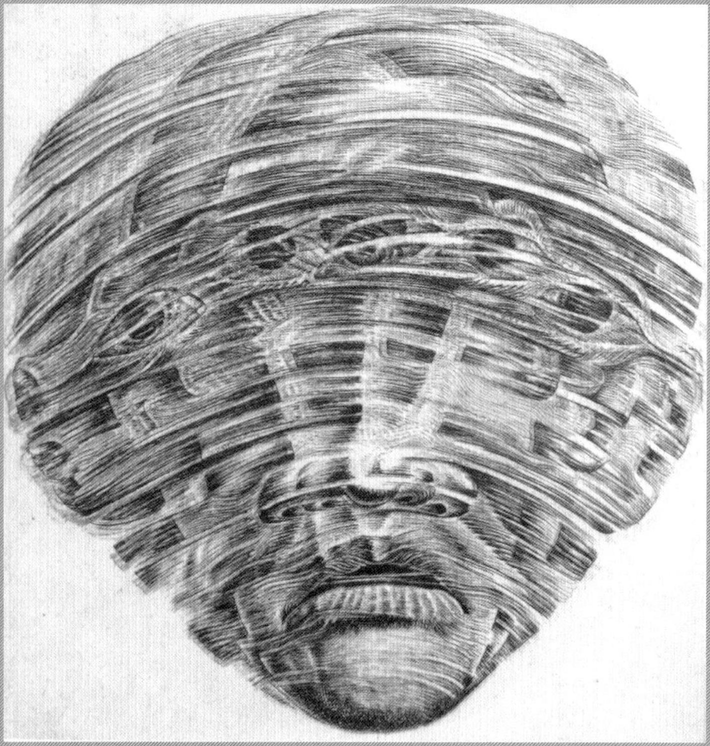

★《dizziness-3 layers》2021年、イメージサイズ16×16cm、銅版画

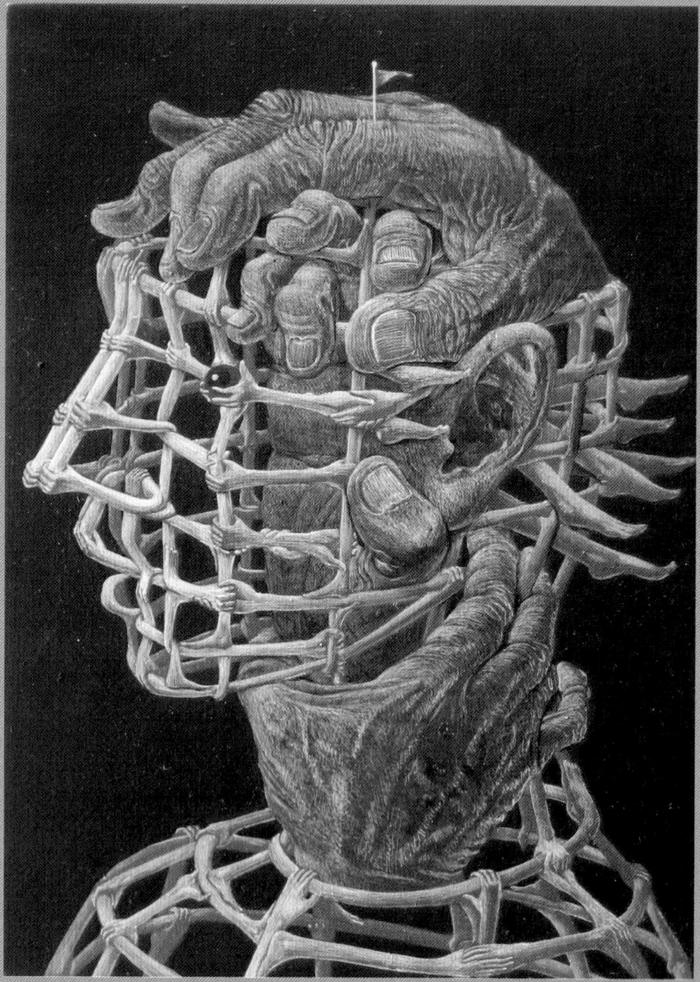

★《ジャングルジム-2》2009年、22×16cm、油彩混合テンペラ

★《crying in the dark-part》2011年、16×22cm、銅版画手彩色

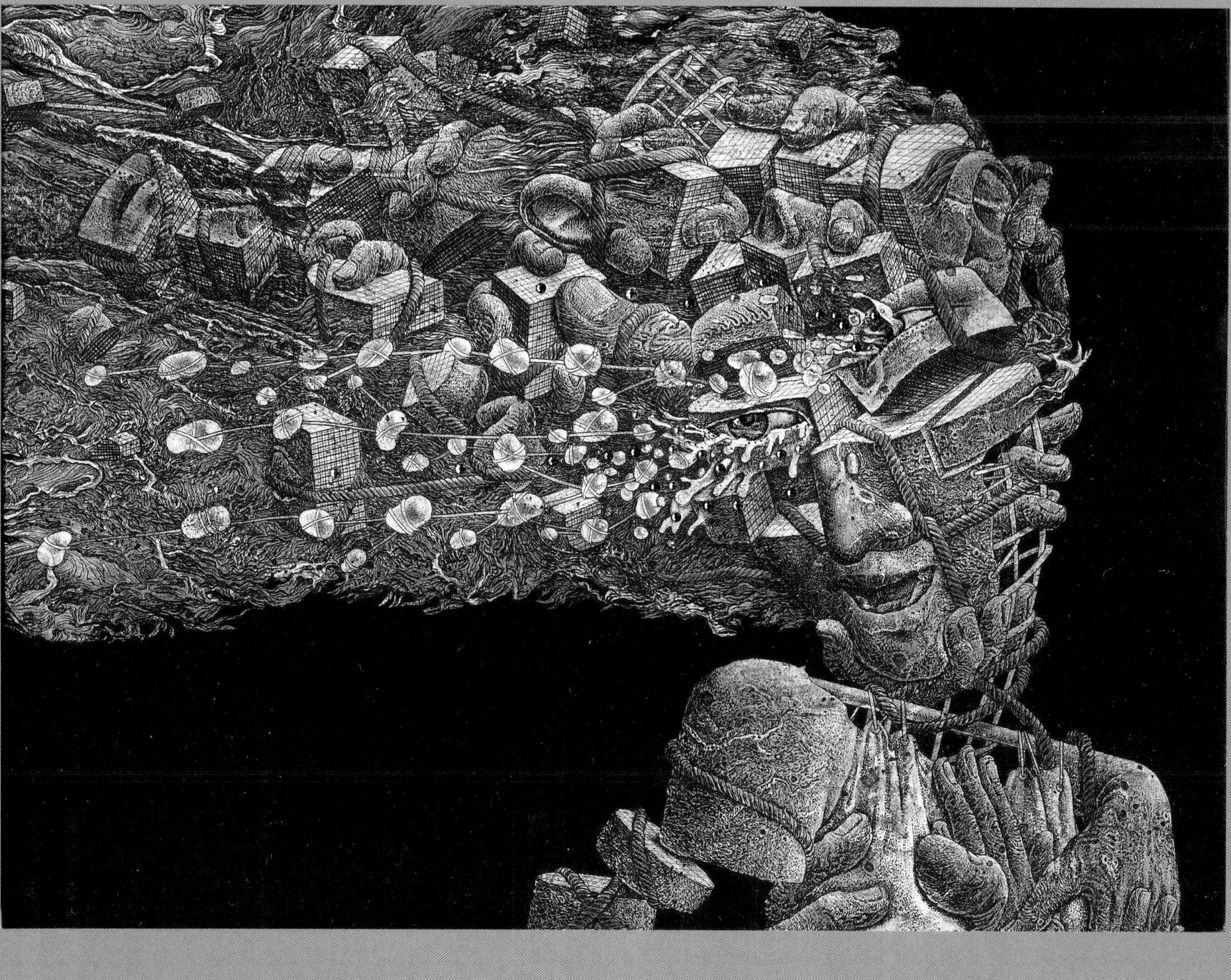

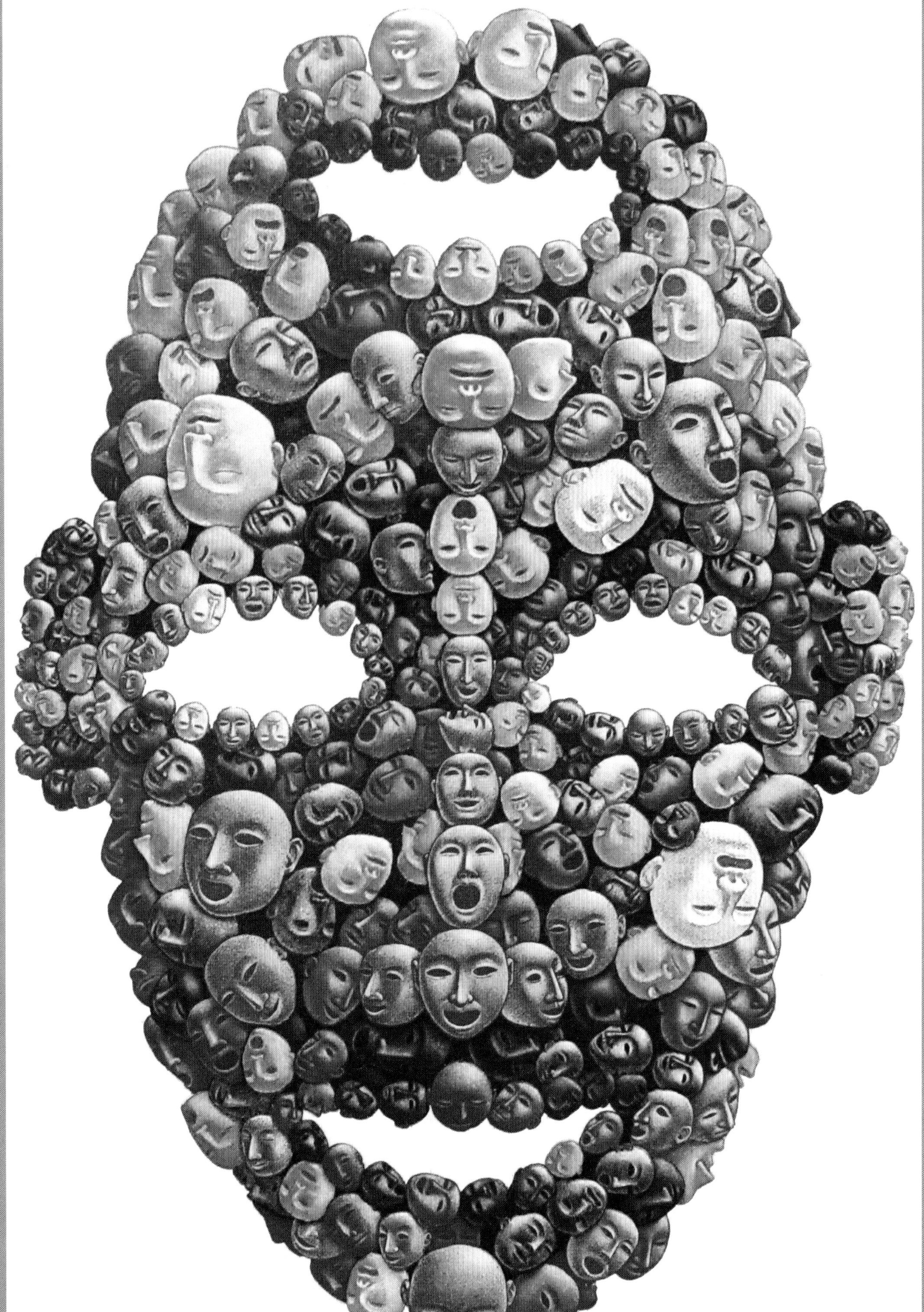

★《good times & bad times-color》2023年、30×20cm、銅版画3版刷り

★《person-3-3D》2015年、60×40×15cm、
銅版画雁皮刷り板に貼付け・手彩色

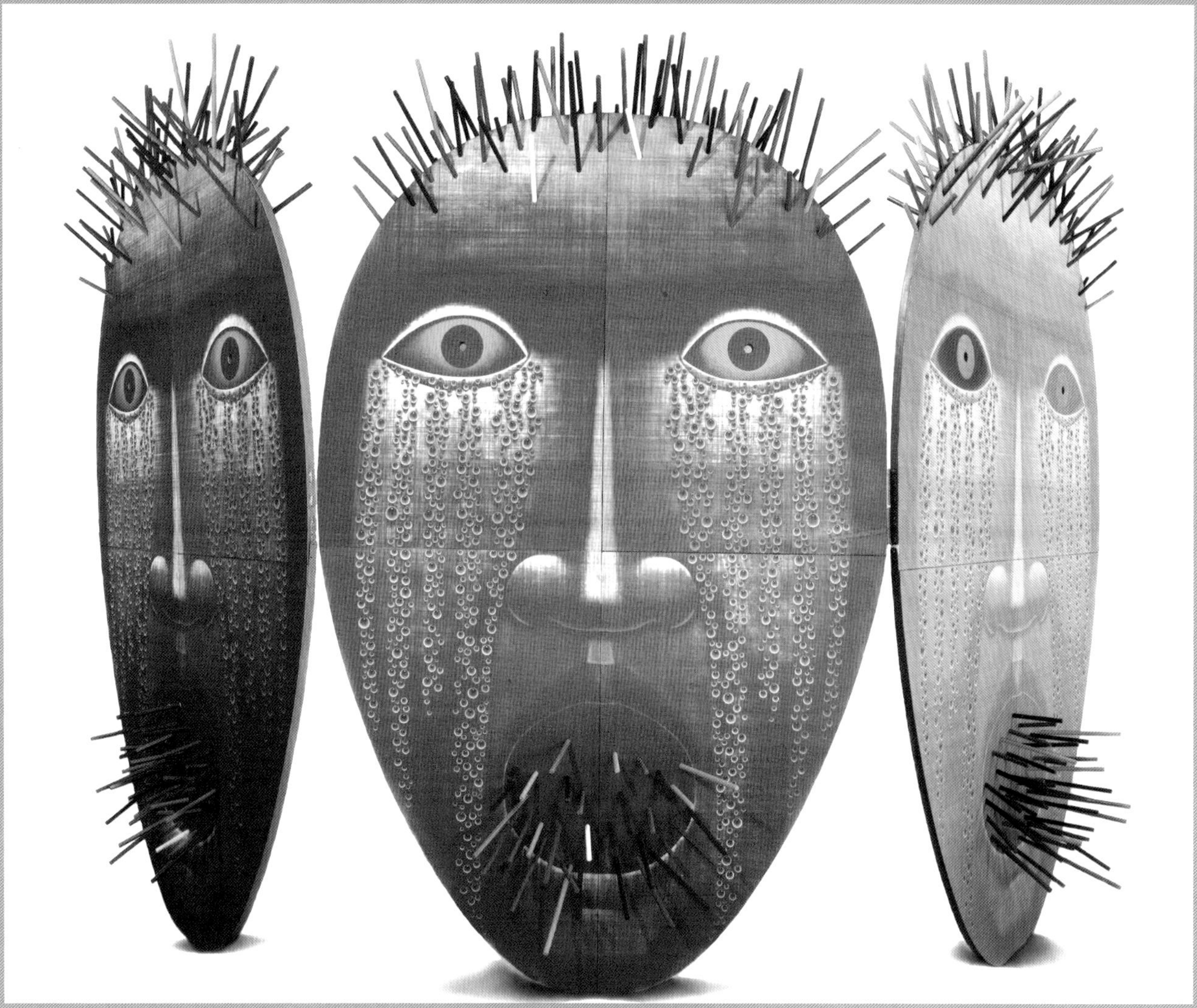

★《ohnaki》2020年、200×120cm×3 pieces、銅版画雁皮刷り板に貼付け・手彩色・木材

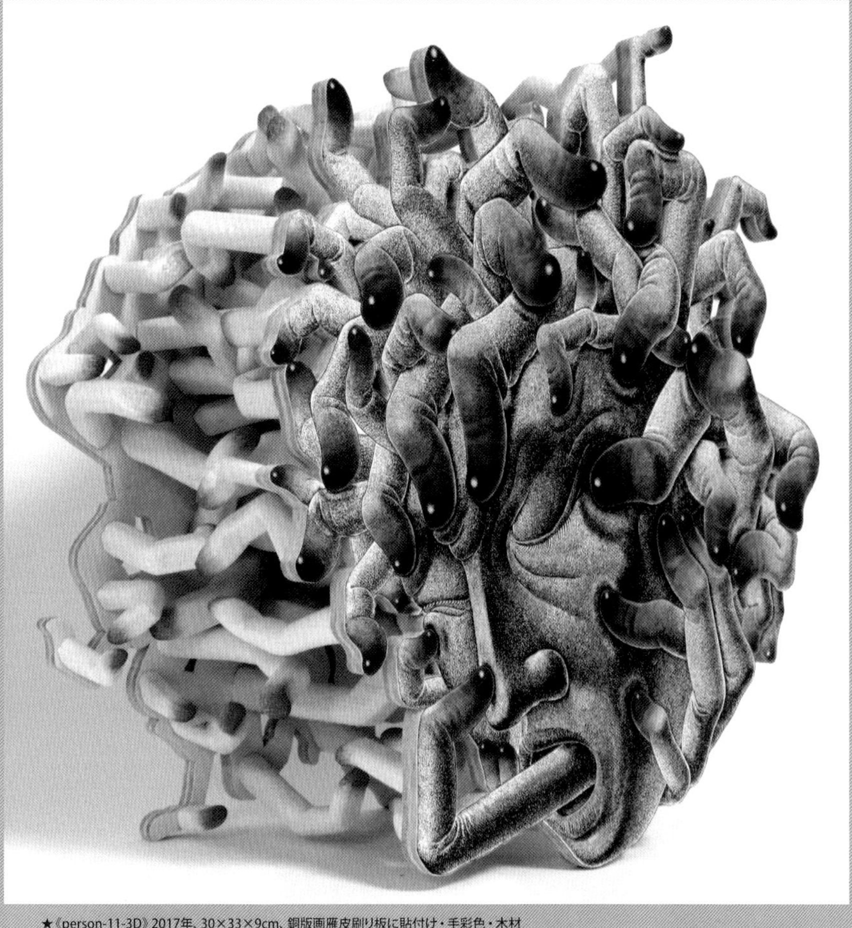

★《person-11-3D》2017年、30×33×9cm、銅版画雁皮刷り板に貼付け・手彩色・木材

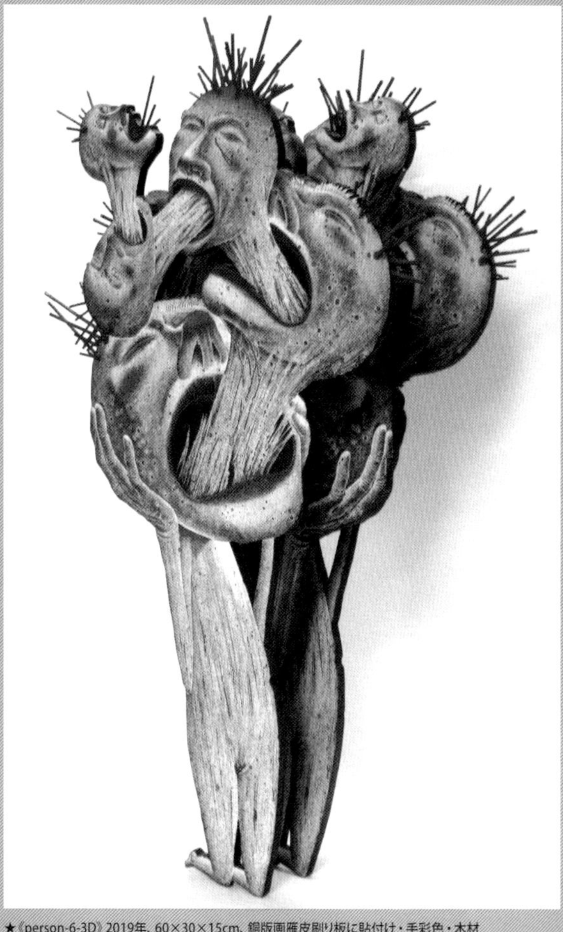

★《person-6-3D》2019年、60×30×15cm、銅版画雁皮刷り板に貼付け・手彩色・木材

★《good times & bad times》（部分・背面） 人感センサー、小さな顔が上下動・回転、プロペラ回転、LEDライト点滅照明

★《good times & bad times》2023年、200×110×40cm、銅版画雁皮刷り板に貼付け・手彩色・木材・UVレジン／モーターで稼働・回転等

顔にこだわり続ける

何よりも「顔」である。実際に、顔を描いた絵画は多い。顔は人をひきつける。それは人間が意識を持つからだろう。いや、動物同士でも、お互いの顔や表情を見て、何かを察することはある。威嚇の表情などは典型的だ。子どもが初めて描く絵でも、顔はその何パーセントかは占めるだろう。最近、都市の一風景がジョン・レノンの顔に見える写真が、SNSで何度もシェアされている。人は本来顔がないところにも、顔を見いだすのだ。

作田富幸は、その顔にこだわり続けている美術家だ。長年、版画で顔を生み出し続けている。近年では、その版画をつかって、立体をつくってもいる。デフォルメされた顔がオブジェとして存在感を高める。その立体性も面白いが、元になっている版画が非常に魅力的だ。顔のデフォルメと重なって、幻想性が静かに迫ってくる。

考えてみると、絵画は版画より饒舌である。版画は物静かに語りかける。だが、見る者は、いったん版画世界に入り込むと、豊かな旅をすることができる。絵画より小さく、細密であることも多く、その作品をより注視することになるためだろうか。それとも、絵画より二次元性が高いため、平面の中に別の宇宙を見いだすのだろうか。

版画への道

作田富幸は、小学生時代に習字塾に通っていた。それは、後の形態への興味につながるという。そして、中学で野外スケッチに目覚め、近くの寺や神社の建物などを水彩でスケッチして、道行く人に褒められる爽快感を抱く経験をした。高校で初めて油絵具に触れ、野外でヨーロッパ風の建物などを、後期印象派気取りで、当時心酔していたゴッホのようなタッチでごてごてとペインティングナイフで描いていたという。そのころダ・ヴィン

チの伝記を読み、自分も海外を飛び回り活動したいと思った。

そして、高校の美術部主催のデッサン講習に、東京藝大から先輩が講師で石膏デッサンを教えに来た。その先輩が長い髪の毛、ヒッピー風のアーティスト然としていて、彼に憧れた。そのため作田は、美術を志したというよりも、東京に行って藝大に入りたいという気持ちが強かったという。

作田は、浪人して美術大学に入ったときは、いわゆるアカデミックな描写に飽きていたので、何か自分にとって新しいものを探していた。そんなとき、版画工房で先輩が大きなシルクスクリーンを、バキュームプレス機を操って刷っているのを見た。機械と一緒に制作しているその姿をかっこいいと思ったのが、版画を始めたきっかけだ。そのため、当初はウォーホルのような、写真を使った作品を作っていたが、シュルレアリスムに心酔してから、徐々に描写の量が増え、最終的な卒業制作では、ドローイング中心の銅版画になっていったのだ。

作田が版画を選んだ理由は、塗る触感になじめなかったこと、または絵画制作の挫折感だ。そして、銅版画の多様な技法を追及することが、コンセプトから展開する絵画制作よりずっと楽しかったからだともいう。そして、深沢幸雄の版画技法書をバイブルのようにして、技法研究に励んだ。

海外で学ぶ

作田はオランダの版画工房で一年間学んでいる。それは、オランダがエッチング発祥の地であり、レンブラント生誕四〇〇周年イベントと在外研修の応募が同時期で、レンブラント研究に適していたからだ。さらに、知り合いがオランダの版画工房にいて、作田自身は北方ルネッサンスの作家が好きだった。

作田は、ベルギー、スウェーデン、カナダ、オーストラリアなどで滞在制作をしている。

顔にこだわり続け、銅版画に飽き足らず、立体作品へも展開

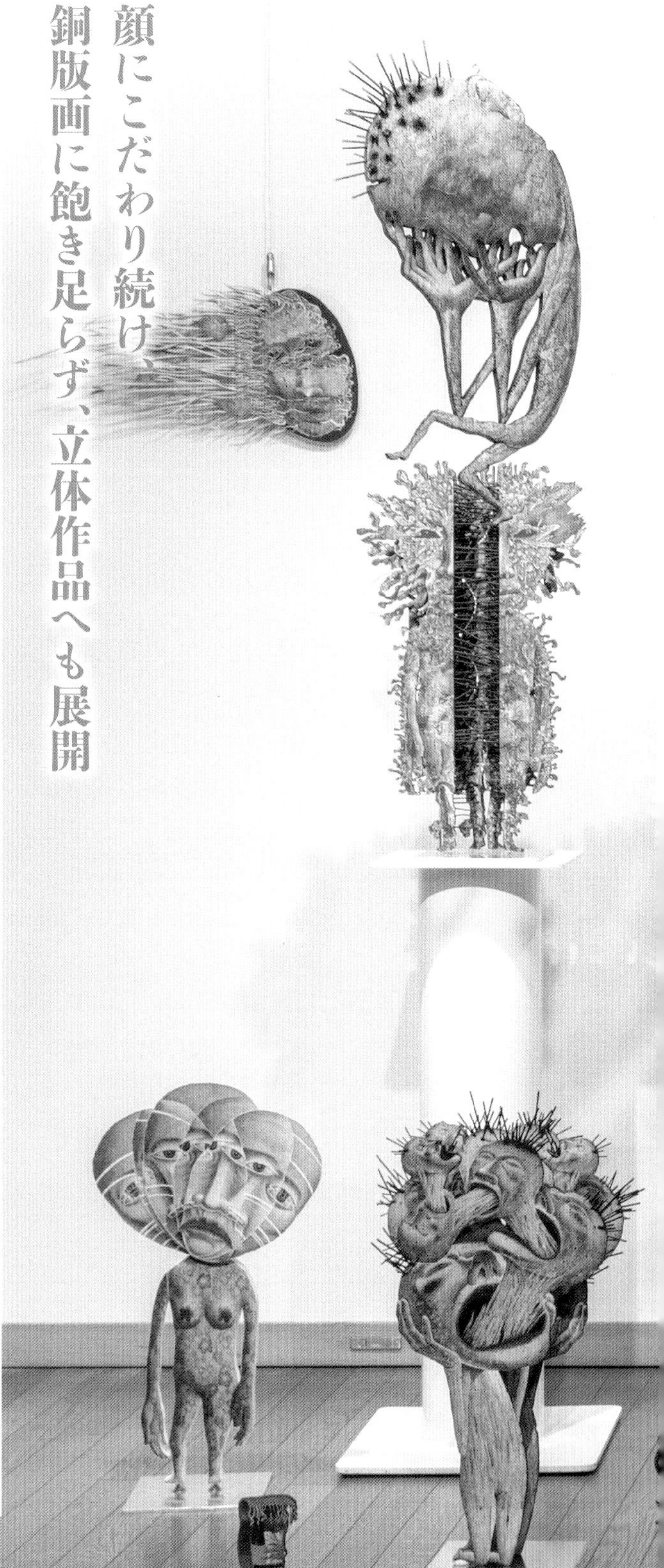

★《a lonely tree-6-installation》2019年、銅版画雁皮刷り板に貼付け・手彩色・木材・UVレジン・その他／コートギャラリー国立での展示風景

それは、海外で活躍したいからだ。また、オランダの一年間の研修が、後悔や困難が多すぎて、言語の壁も含めて、その失敗をほかのレジデンスによって取り戻そうとしたのだそうだ。オーストラリアの総合芸術大学の工房を訪ねたときには、海外は日本よりもコンセプトの作品ばかりと感じた。彼は、海外では、技術的な作品のよさではなく、テーマやプレゼン力がより強く求められると思っている。

版画を用いて立体作品に

作田の作品の多くは顔がテーマだが、それはどうしてだろうか。それは戦略もあるという。人から見られたときに、「ああ、顔を描く作家ね」と認識させる。そして、人間以外の自然や動物、植物などにはあまり興味がない。テーマが感情だから、顔はそれを扱いやすいモティーフであると述べた。

作田は、銅版画を中心に制作している。近年は銅版画のメリットを利用して、版画から展開した作品や立体や動く作品などを作っている。版画を石膏やレジンに刷ったり、雁皮紙に刷って別素材に貼りこんだりなど、支持体を変えることで、新しい制作にも結びつけられると考えている。また、描くだけではない工程や、ただ単にそれが面白く、また、ベーシックな銅版画に飽きたからという本音も漏らした。

シュルレアリスム的世界

作田は、シュルレアリスムにどっぷりはまってから、単なる写実には興味がない。だから面白いのはわけわからないものであるべきだという。また、とても弱く神経質な性格なので、それの裏返しが「幻想」にも結びつくかもしれないと自己分析する。

作田が惹かれるのは、ファン・アイクなどの北方ルネッサンスで、アイク兄弟の《神秘の子羊》（一四三二年）の祭壇画前に立ちすくんだ経験がある。マックス・エルンストのコラージュ集にハマってシュルレアリスムの世界へ入り、ハンス・ベルメールやウイーン幻想派のルドルフ・ハウズナーやエルンスト・フックスの高価な画集を買っては、傾倒しすぎて最初はほとんどパクリのように描いていたという。

また、工藤哲己のえげつない立体、そして、岡本太郎は作品ではなく『今日の芸術』（一九五四年）という評論から制作の根幹を植えつけられた。池田満寿夫の版画作家としてのエンターテナー性、池田龍雄の社会性を含んだドローイング、大竹伸朗の饒舌さ、デイビッド・アルトメジョのナンセンスな彫刻などをあげた。アルトメジョは一九七四年、カナダ生まれの彫刻家で、さまざまな素材で顔や身体をつくっている。

美術以外では、三島由紀夫の『仮面の告白』の冒頭の「私は自分が生まれた風景をおぼえている」にはまり、サイモン&ガーファンクルは中高時代に聞きまくったとポール・サイモンをあげた。

作田の作品には、確かに北方ルネサンスに通じるところがある。それは、静けさだ。音のない世界。それはシュルレアリスムの画家とも共通するといえそうだ。顔は感情を表現すると述べており、確かに何か声を発しているように見えるが、それは、声なき声のようにも見えてくる。それが彼の作品の個性ではないだろうか。

そして、今後について尋ねると、大学で非常勤講師をしながら、若い学生にエネルギーをもらい、何かコンペを目指して制作のモチベーションを保ちつつ、ただ制作を続けるのみ、とストイックさを表に出した。筆者としては、やはり作田富幸の銅版画に魅力があると感じている。一種の強い吸引力のようなものを感じる。そのため、それを生かした造形とともに、オリジナルである銅版画自体も、さらなる展開を望みたい。（志賀信夫）

●写真＝小笠原勝　文＝沙月樹京

魔性の女サロメの魅力は、いまも色あせない

TOPICS

Salomé -Passion

～考察・現代作家によるサロメの愛と死～

★多賀新《ルクレツィア》2022年、44×28cm、鉛筆・ケント紙

★愛実《サロメ》h127×w32×d30cm、石塑粘土・人毛・グラスアイ 他

★村上仁美《eclipse》h35×w36×d13cm、陶

★井桁裕子《七つのヴェールの踊り》2023年、21.5×16×h18cm、陶土・釉薬

★山下昇平《ヴェール》31×24cm、
石粉粘土・石膏・鉄・アクリル棒

★衣（HATORI）《femme fatale》2023年、h約32cm、石塑粘土・油彩・アクリル・パステル 他

★三浦悦子《soiree》約d20×w27×h3.5cm、書籍・石塑粘土・ミニチュア・樹脂

★浅野信二《「時の谺」Da Capo-回帰》2013年、41×60.6cm、キャンバス・油彩

★須川まきこ《Salome 〜ヴェールの踊り》2023年、38×45.4cm、ペン・アクリル絵の具

★山村俊雄《裸種子》91×91×4.5cm、アクリル画

★二階健《baiser》29.7×42cm、写真プリント

★成田朱希《荒野》2023年、30×42cm、ケント紙・ペン・鉛筆

★木村龍《サロメ》2022年、25×75cm、木・着物帯・石塑粘土

★マンタム《七つのベールの舞を奏でる為のヴァイオリン》60×35cm、バイオリン・頭骨 他

★展示風景

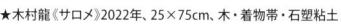

オスカー・ワイルドが生んだ「サロメ」を現代作家たちが独自に解釈し直す

★林美登利《接吻》2023年、約30cm、オーブン樹脂粘土・グラスアイ・人毛・モヘア・羽・金属・アンティークのランプシェード・ビーズ

サロメは、新約聖書に登場する女性だ。ユダヤのヘロデ大王の王子ヘロデ・フィリッポスを父に、ヘロデ大王の孫ヘロディアスを母に持つが、新約聖書ではその名は記されておらず、単に「ヘロディアスの娘」とも呼ばれる。ただ、『ユダヤ古代誌』に同一人物を思われる者が登場し、その名が「サロメ」と記されていることから、いまはサロメという名で定着している。

新約聖書においてサロメは、母ヘロディアスの操り人形のような存在である。宴会で舞いを踊り列席していた者たちを喜ばせたがゆえ、ヘロデ王に「なんでも欲しいものをやる」と言われるが、母に何を願ったらいいか聞きに行くのである。母が「ヨハネの首を」と言ったので、そのとおりに王に伝え、ヨハネの首が持ってこられると、それを素直に母に渡した。

ところがオスカー・ワイルドは、そのサロメを、捕えられていたヨハネ（ヨカナーン）に恋をし、その恋に破れたがゆえその首を所望する存在に変える。色仕掛けでヨカナーンの見張りをたぶらかし、王の前で7つのヴェールの踊りを踊り、銀の皿に載ったヨカナーンの首に唇に口づけをするという、実に魔性的な、ファム・ファタル的な存在に作り変えたのだ。これが19世紀末の頽廃的な風潮と呼応して人気を博し、サロメと言えばいまも、ワイルドの作り上げたイメージを思い描く者がほどんどだろう。

そのサロメを現代作家が独自に解釈し直してみせた展覧会がBunkamura Gallery 8/（渋谷ヒカリエ8F）で開催された。出展作家は、浅野信二、愛実、井桁裕子、木村龍、須川まきこ、多賀新、成田朱希、二階健、衣（HATORI）、林美登利、マンタム、三浦悦子、村上仁美、山下昇平、山村俊雄。その中に、人形作家やそれと親和性のある作家が多いのは、偶然ではないだろう。この展覧会に寄せて、井桁裕子はこう記している。「相手を殺すほど情熱的な所有欲を救う可能性は『人形愛』にある」。愛とは言い難い、支配や所有の欲望。それを人形の観点から「愛」に変えることはできるのだろうか。

結果どうだろう。凄惨な場面であっても、美に耽溺するような作品が集った。サロメという物語が、いまも想像力を与え続けていることを実感させてくれる展覧会であった。

（沙月樹京）

※「Salomé -Passion 〜考察・現代作家によるサロメの愛と死〜」は、2023年9月7日〜19日に、渋谷ヒカリエ8FのBunkamura Gallery 8/にて開催された。

●文＝沙月樹京

★《Half moon》2004年、45×37.8cm、エッチング・アクアチント・紙

浅野勝美

ASANO KATSUMI

見えないものの中に美を探す

★《Manege》2013年、36×27cm、エッチング・アクアチント・紙

★《ミュシャの描いたサラ・ベルナールに似ている》
2021年、30×22cm、油彩アルキド樹脂絵画混合技法・板

★《ウサギのポワレ》2021年、30×22cm、油彩アルキド樹脂絵画混合技法・板

★《いばら姫》2012年、28×21cm、鉛筆・雁皮紙

★《車窓の記憶》2002年、15×19.5cm、鉛筆・雁皮紙

★《Mars》2023年、22×30cm、油彩アルキド樹脂絵画混合技法・板

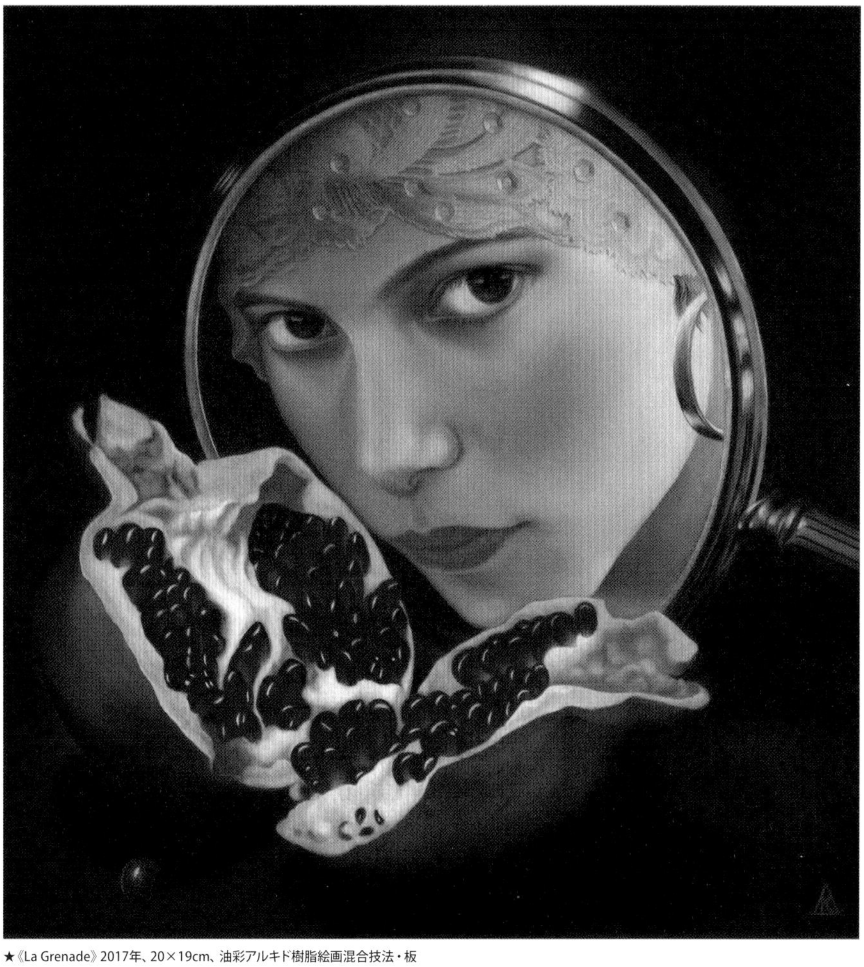

★《La Grenade》2017年、20×19cm、油彩アルキド樹脂絵画混合技法・板

硬質な抒情を込めて
繊細に描き出す
生命の感触

プシュケーは、命、心、魂などと訳されるが、元は「息」を意味する言葉だといい、目に見えない生命の印というイメージが近いかもしれない。浅野勝美は、その言葉を画集のタイトルにした。タイトル通り、浅野は、目に見えず形がないにもかかわらず確かに存在している感触、生命の感触を描こうとしているように思う。

その銅版画は、多くが、漆黒の闇の中に図像を浮かび上がらせている。その様子は、宇宙の果てしない広がりの中から、生命の欠片を呼び寄せて形にしているように思えることがあるし——それはまるで星雲のように——、またその深淵は、個々の心の中に広がる内宇宙でもあろう。いずれにしろ、形のないものに形を与える浅野ならではの魔術をうかがわせる。また、太陽や太陽系の惑星を擬人化したシリーズがあるが、それもやはり、天体に生命を幻視し具体的な表情を与えるという、浅野らしい試みだと言えるかもしれない。

浅野は1984年から銅版画を、2015年からは油彩混合技法を学ぶ。皆川博子やタニス・リー、新潮文庫のシェイクスピア作品の装画や、「詩とメルヘン」の挿画などで知られ、繊細で幻想的、そして耽美匂い立つ作風で多くの者を魅了している。浅野は自身の作品の本質は、「リリシズム、抒情性であると思っている」という。「『硬質のリリシズム』と言ってみたりもする」。確かにそこには、感情の純粋な表出がうかがえよう。

その浅野が、デビュー35年となる節目の年の初めに、丸亀市で個展を開催する。丹念な作業を積み重ねて生み出される美の世界。そこから漂い出す生命の感触を味わいたい。

（沙月樹京）

★《薔薇酒》1991年、51.2×39.5cm、エッチング・アクアチント・紙

★《セロ弾きのゴーシュ》1991年、40.5×39cm、エッチング・アクアチント・紙

◉「浅野勝美展ー La Beaute ー」
2024年1月7日（日）～28日（日）
月・火休（1/8は営業）
11:00～17:00（最終日～16:00）
場所／あーとらんどギャラリー
香川県丸亀市浜町4番地
Tel.0877-24-0927
https://artland-gallery.jp/

★浅野勝美 画集「Psyche（プシュケー）」
B5判・ハードカバー・64頁・定価税別3000円
発行・アトリエサード、発売・書苑新社

★《櫻化》2004年、45.7×35.4cm、エッチング・アクアチント・紙

◉文=ケロッピー前田

政治状況を踏まえた 切実な暗黒表現

ユハ・アルヴィド・ヘルミナン
JUHA ARVID HELMINEN

★（上）《Traditional》2014年（左頁）《Outh, long forgotten》2020年
ともにファインアート・フォトグラフィー

★《The Cabinet》2014年、ファインアート・フォトグラフィー

★《Endless》2022年、ファインアート・フォトグラフィー

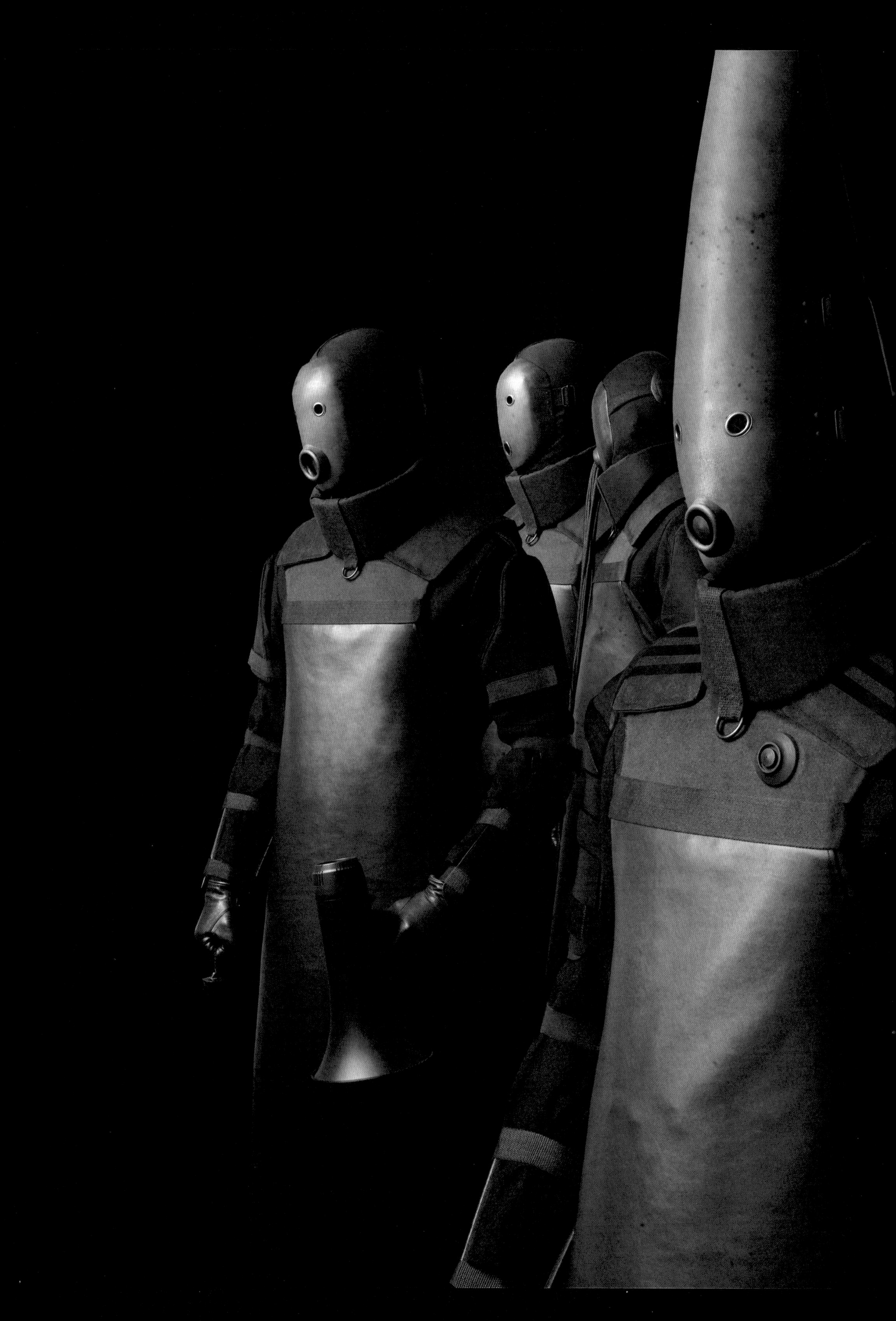

★《All the information in the world》2023年、ファインアート・フォトグラフィー

コロナ禍で遠のいていた海外アーティストの久々の来日にヴァニラ画廊が沸いた。今回、日本での初個展に挑んだのは、フィンランド出身のアーティスト、ユハ・アルヴィド・ヘルミナン。彼は黒を基調としたフェティシズムなビジュアル構成で、ファシズムやミリタリー、監視社会など、権力や匿名性の暴力を連想させる作品シリーズ「インビジブル・エンパイア（見えない帝国）」を発表し、国際的にも注目されている。今回、彼のこれまでの創作活動の集大成といえる作品集『A JOURNEY to the INVISIBLE EMPIRE』をひっさげての来日とあって、その作品世界の全貌に触れるとともに、独特な作品の制作方法や日本との深い関わりについても彼自身から直接聞くチャンスを得た。

「今回、日本での初個展に向けて、映画『AKIRA』を見直して大きなインスピレーションをもらいました」

そう語るユハ・アルヴィド・ヘルミナンは、ガッシリとした体格から鋭い眼光を覗かせた。ご存知の通り、『AKIRA』は東京オリンピックが中止となった2020年を舞台とし、サイバーパンクな未来を予見した作品として国際的に高く評価されている。彼にとって、日本文化との出会いこそが創作の発火点となってきたという。

「実は来日は2度目です。最初は2006年、まだ学生で授業のカリキュラムの一環として2週間、東京と京都に滞在しました。そのとき、日本の作家のアートブックをたくさん買って帰りましたが、今回、自分自身のアートブックを持って戻ってこれたことはたいへん嬉しいです」

聞けば、空山基やトレヴァー・ブラウンの他、球体関節人形の作家たちの作品集も多く収集しており、特に人形作家で写真家でもある吉田良には多大な影響を受けているという。日本のアートブックの小さな判型の綺麗な装丁に強く憧れを持っていたが、今回、自分の作品集を作る夢がやっと実現したのだ。

ユハはもともとグラフィックデザインを専攻していたが、フォトショップが得意で写真の撮影もしていた。その後、フィンランドで最も優秀な大学の写真学科で学び、学生時代の2008年から現在のような作風での制作を始めた。もうお気づきと思うが、彼の作品中に登場するマスクやグローブ、最近はミシンも購入したことから衣装や小道具の数々までも自作している。大変興味深いのは、彼がこのシリーズを始める前に日本に来ていたことである。彼が日本の人形作家たちから学んだことは、被写体となる対象も巧妙に作り上げ、その作品世界そのものをすべて自分で作ってしまっていいということである。フォトショップの使い手ならパソコン上ですべて解決することも不可能ではないが、あえて物理的な手作業を通じて独自性を追求する職人気質にヨーロッパ人の美的なこだわりが感じられる。

彼自身は自分の作品にどれほど日本から影響があるかはわからないというが、サムライのマスク、割腹自殺を遂げた三島由紀夫を連想させるイメージ、軍服や制服の匿名性の強調などに〝日本的な〟センスを感じる人も多いだろう。

「タトゥーアーティストやSMの女王様に僕の作品のファンが多い。だから、私の作品はフェティシズムの文脈で捉えられることが多いけど、作品のインスピレーションは歴史的なものから来ています」

そう断言するユハは、自分と同じくフィンランド出身で成功したイラストレーターのトム・オブ・フィンランドを例に挙げた。トムは第二次世界大戦のときに軍服を着たドイツ兵たちが放つマッチョなエロティシズムに触発され、のちにゲイカルチャーやフェティシズムの歴史に革命をもたらすビジュアルイメージを生み出した人物である。

ユハの祖国フィンランドは北欧の国々の中でもロシアに国境を接する東欧に位置し、バルト三国にも近い。100年前にロシアから独立したが、それ以前はスウェーデンに100年間支配されていた歴史がある。現在はロシアのウクライナ侵攻に始まる戦争の影響で、今年になってからNATOに加盟し、非常にデリケートな状態にある。彼の伯父はロシア領内に別荘を持っていたがもうそこには行けないし、ロシアの友人にも会えないという。ファシズムや暴力をモチーフとする危険な作風には、その背景にフィンランドの歴史

マスクや軍服の匿名性が ディストピアな未来を映す

や現在の状況の切実さがあり、見た目の「美しさ」を超えたリアリティで迫ってくる。

2006年、ユハはフィンランドの首都ヘルシンキで起こった「スマッシュASEM（アジア欧州首脳会議反対デモ）」を国家警察隊が鎮圧する現場を目撃した。そこでは警察は、制服を身につけていることでデモ隊に対する過剰な暴力が容認されていたという。つまり、警察隊のメンバーとして働く若者たちは制服という匿名性を身に纏うことで暴力的な存在に変貌し、同時に違法な暴力が取り締まられる様子もなかった。制服や匿名性が個人の倫理を消失させ、過剰な暴力の実行を促進させているというのだ。

記念すべき日本での初個展については、これまでの自分の代表作を網羅するとともに個展であるということから新作も出したかったといい、新作は5点、そのうちひとつはポスターにもなった。いま再び、世界が戦争の時代へと傾いているからこそ、ユハのビジュアル世界は切実な危なさを持って、人々を魅了してやまないのだ。

（ケロッピー前田）

★写真：ケロッピー前田

Juha Arvid Helminen（ユハ・アルヴィド・ヘルミナン）……1977年、フィンランド、ヘルシンキ生まれ。2010年、Lahti Institute of Design卒業。マスクや軍服などが持つ匿名性と権力における美学とその誤用をテーマに、巧妙に準備された造形と繊細な写真技術によって構成されたビジュアルはフェティッシュという枠に収まりきれない切実さとリアリティを持って、鑑賞者に個人のアイデンティティと倫理を問うてくる。現在、彼の作品は世界的に注目され、各国の美術館やギャラリー等で展示発表されている。

※ユハ・アルヴィド・ヘルミナン個展「Journey into the Invisible Empire」は、2023年9月28日〜10月9日に、東京・銀座のヴァニラ画廊で開催された。

●文＝沙月樹京

狩野 れいな

KANO REINA

夢うつつに浮かんだ
イメージを形に

★《K氏の5つの欲望》2022年、
h865×w380×d87mm、
版画・コラージュ
（板目木版・木口木版・真鍮・レンズ・LED）
／右頁は全体、左頁は部分

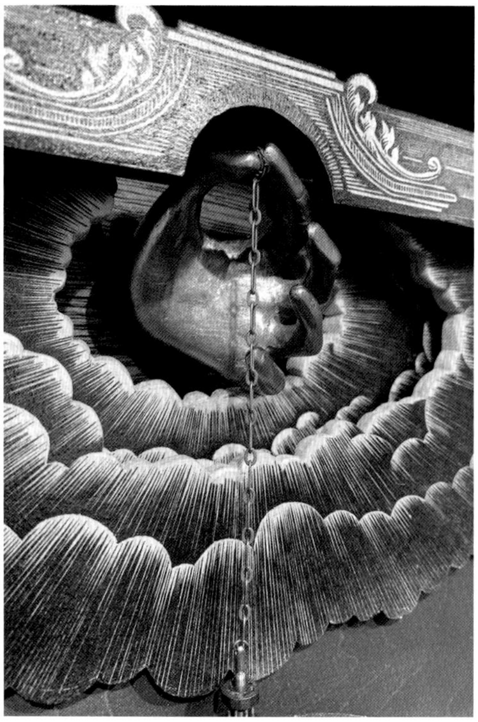

★《月のバランス》2023年、h770×w363×d87mm、
版画・コラージュ（板目木版・木口木版・真鍮・錫・歯車）
／右頁は全体、左頁は部分

★《お月様》2023年、h460×w170×d25mm、木・真鍮

★《女王様の尽きない欲望》2022年、h865×w380×d87mm、版画・コラージュ（板目木版・木口木版・金箔・錫・鏡）

木版を切り抜きコラージュし シュールで滑稽な幻想を生み出す

木版画は、もちろん浮世絵などのように技工を凝らしたものもあるが、基本的には手に入りやすい素材で簡易に制作できるものである。1930年代に魯迅が木版画運動を推し進めたのも、木版がその簡便性ゆえ思想を大衆に伝えるメディアとして適していたからに他ならない。木版は、日本を含めアジアの民主化運動、独立運動などに活用されたのだ。

★《可笑しな教授の夢》2022年、h730×w370×d87mm、版画・コラージュ（板目木版・木口木版）

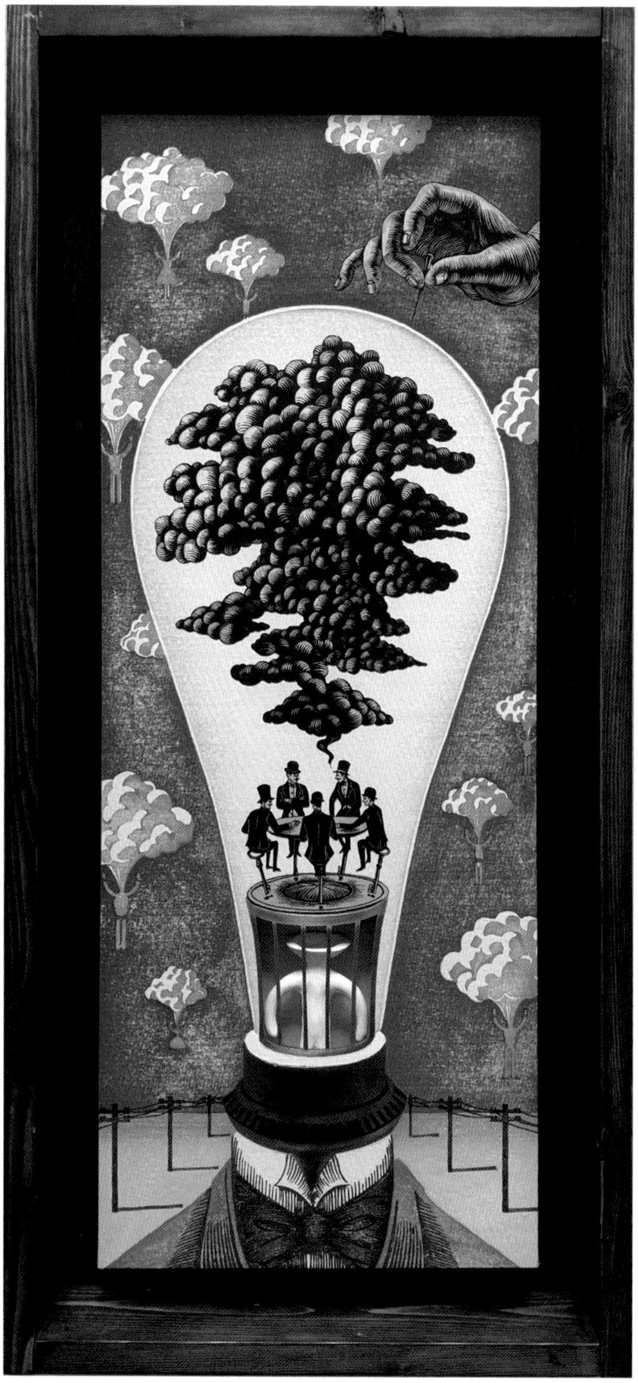

★《頭の中で会議中》2023年、h766×w363×d87mm、版画・コラージュ（板目木版・木口木版・真鍮）

そのような素朴な印象のある木版だが、狩野れいなが木版の作家だと聞いて、その素朴さだけをイメージして作品を観たなら、少々驚かされるかもしれない。確かに元は木版で印刷されたものだが、ときに切り抜かれ、ときに何層も重ねられ、ときに穴を開けられて、それが版画以外の素材ともコラージュされる。明かりが仕掛けられたりヒトガタがぶら下がったりと、立体アート作品と呼んだ方がふさわしい。そもそも木版などの版画は、複数印刷できることが特質だが、これでは複製は難しく、れっきとした1点モノの作品なのである。

　しかし、インクのかすれや微妙な版のズレといった木版ならではの素朴さが、いい味わいを醸していることは確かだろう。絵柄も、まるで昔の木版にあるような素朴なもので、これを絵の具で描いたとしてもこの味わいは決して出ない。木版であるがゆえに、この奇妙な世界観を表現しえているのは間違いない。

★《宇宙の大きさ》2023年、
h233×w233×d120mm、
木口木版・木・LED・鏡・縮小レンズ

狩野はそもそも、朝、目が醒めて夢うつつの状態で浮かんだイメージを書き留め、そこからこのような作品を作り出していったのだという。その、少々非現実的な世界の感触、儚く消えていってしまいそうな感覚が、木版のかすれなどがあるからこそ、表現しえているのではないかと思うのだ。そしてそれと対象的な木版らしい線の力強さもまた、非現実的な幻想を醸している。

　狩野は、2005年多摩美術大学卒。卒業後は一度就職した後、12年間、写真家のスタッフとして働く。木版の制作を始めたのは2018年になってからで、そして2023年、六本木ストライプハウスギャラリーで初個展を開催した。今回掲載したのは、その初個展での展示作だ。さらに2024年、同じギャラリーで2回めの個展が控えている。

　狩野の作品には、非常にシニカルに現実を異化し、人間の滑稽な一面をシュールに浮き彫りにしたものも少なくない。そのメッセージ性は、木版画運動とも共通したところがあるとするのはこじつけが過ぎるかもしれないが、しかし、どこか近しい息吹も感じる。あなたの心にも、きっと何かが響くはずだ。

（沙月樹京）

◉狩野れいな 個展
2024年4月16日（火）～25日（木）
場所／東京・六本木
ストライプハウスギャラリー
https://striped-house.com/

◉文＝志賀信夫

★《Water Tank in a Desert》2013年、76×102cm、oil on canvas

動植物から得る独自の想像力

岡本　泰彰

OKAMOTO YASUAKI

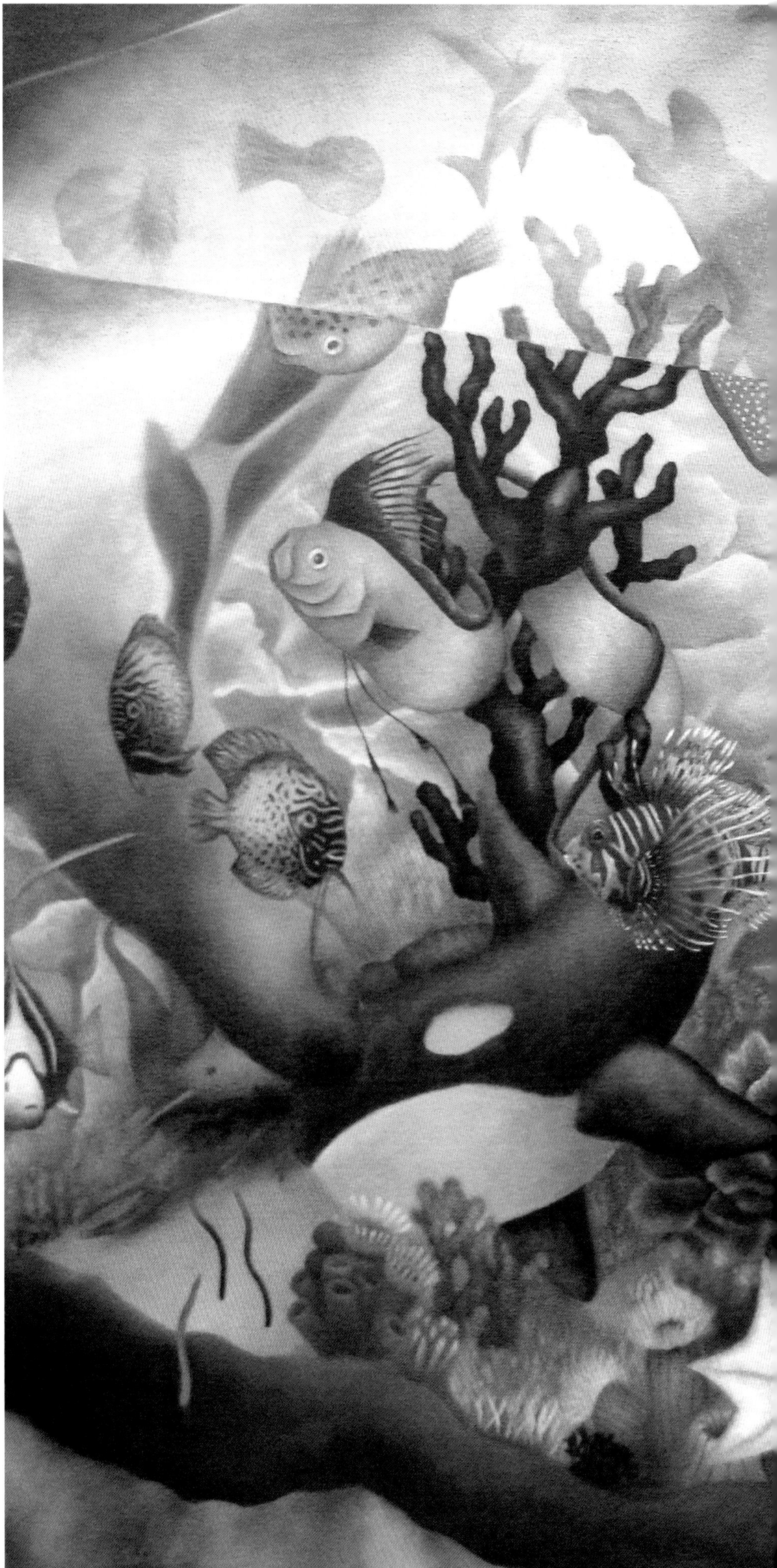

★《NBP 2021》2021年、145.5x112cm、Canvas, Metalic, Acrylic and oil on canvas

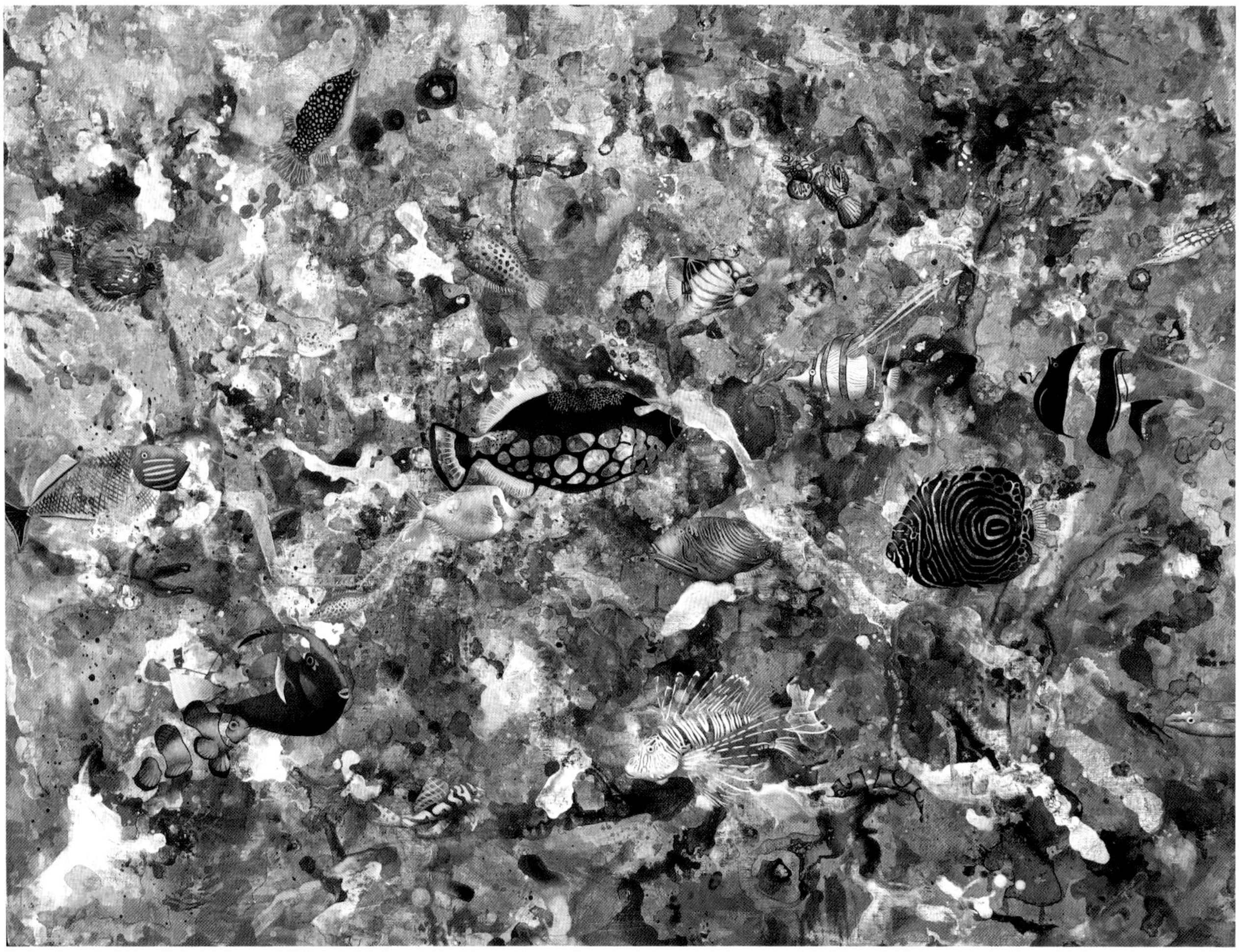

★《保護色魚群図》2020年、97×130.3cm、Acrylic, Metalic and oil on canvas

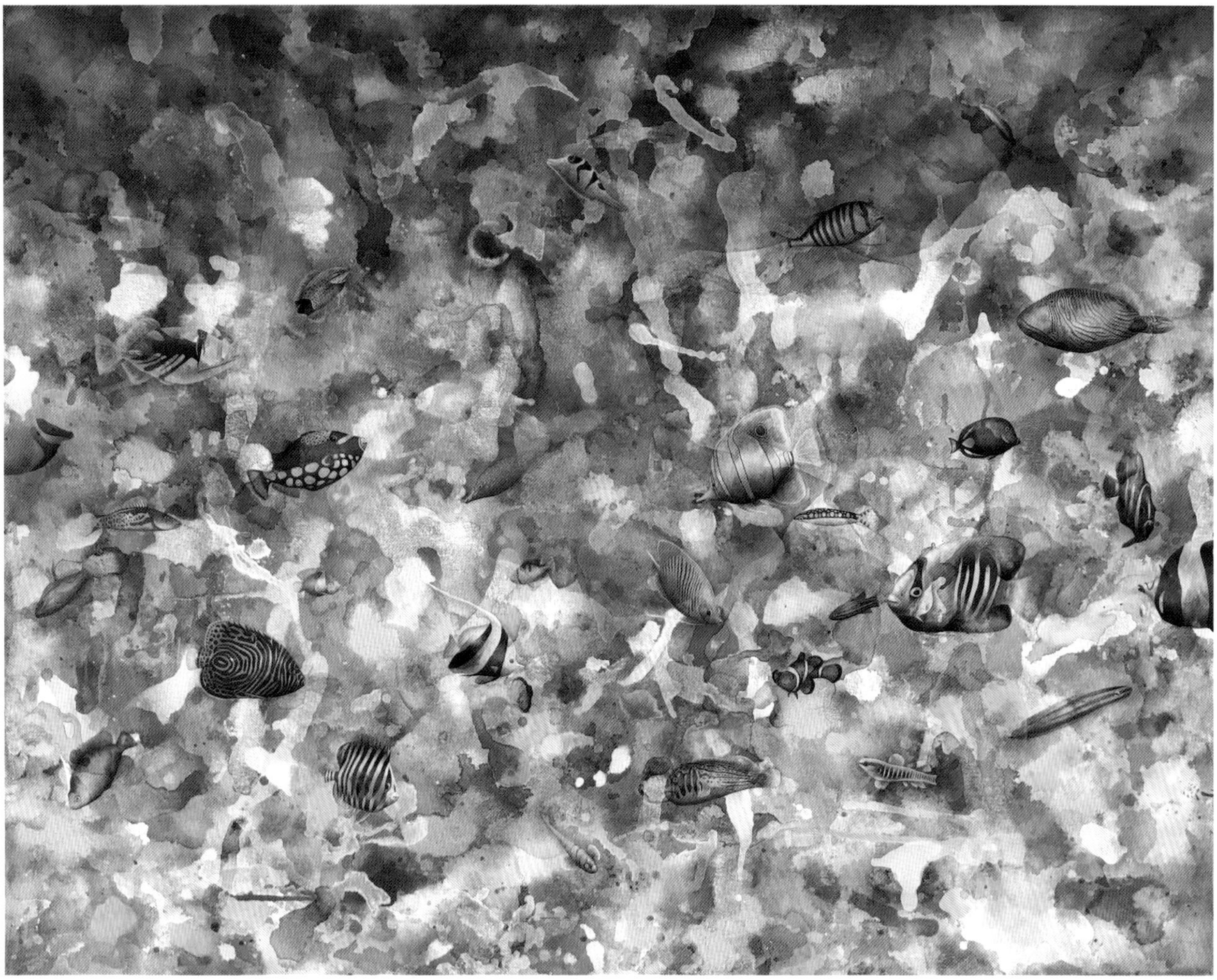

★《熱帯魚群図》2020年、145.5x112cm、Metalic Powder and oil on canvas

★《Dear Landlord》2011年、76×102cm、oil on canvas

★《Modified Orangutan》2019年、20.3×30.5cm、Lithograph

★《Tattooback Gorilla》2018年、30.5×20.3cm、Lithograph

★（右頁上）《Collage 02 in Berlin》2019年、35.5×25.4cm、Collage
（右頁下）《Collage 03 in Berlin》2019年、35.5×25.4cm、Collage

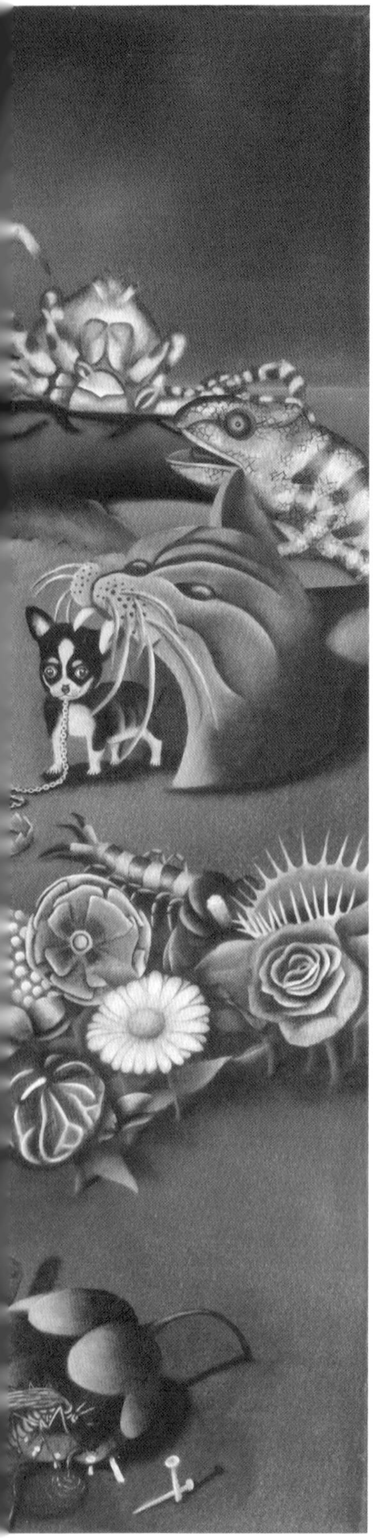

★《Depth of 60ft.》2016年、40.6×30.5cm、Watercolor on paper

生物の生態を追求し その不思議さから インスピレーションを得る

エッシャー、ダリ、パンクに影響

一目見て、作品の精密さ、精緻さに驚いた。その画家、岡本泰彰は、元々は美術を志してはいなかったという。それが、ここまで突き詰めた作品世界を作り出すのは、驚異的といえる。また、彼の世界には、動物ばかりで人間がほとんどいない。どうしてだろうか。岡本は、この精緻な幻想世界に何を求めているのだろうか。そして、海外生活が長いようだが、それについても話を聞いてみた。

岡本泰彰は、子どものころは人並みに絵を描いていたが、昆虫や動物、自然が好きな子どもだった。それは、現在の作品のモチーフにもなっている。また、もっと幼い頃、近所にあったテーマパーク「長崎オランダ村」によく行っていたが、そこにM・C・エッシャーの作品を使った画像や映像アトラクションなどがあり、絵の不思議さに魅了された。作品のインパクトから、それらの絵が記憶に残っている。そして、学生時代に惹かれていたのはサルバドール・ダリの作品。他方、美術以外ではファッション、ヘアメイクや服飾に関心があり、パンクやロックを聴き、バンド活動もしたそうだ。

美容師から絵画の道へ

岡本が海外に行ったのは、日本で美容師の資格をとった後、その勉強のためだ。彼は、学生時代から髪型とファッションに興味があり、美容師か服飾デザイナーになりたいと思っていた。

★《Born to Die, Live to Sin》2011年、76×102cm、oil on canvas

美容を選んだのは、美容免許が国家資格になったからで、高校卒業後は東京の美容学校へ進学した。そして卒業後、海外で美容を学びたいと思って、ロンドンに渡った。

ところが、9・11の影響によって、ロンドンでスクールがキャンセルになってしまった。それで岡本は、英語がまったく話せず、知り合いもいなかったので、ロンドンの本屋や美術館、博物館などで美術を観ていた。そのなかで、テートギャラリーでフランシス・ベーコンに出会う。ロンドンでは、好きな景色をカメラで撮りに行き、ドローイングなどをしていた。そのなかで徐々に専念していったものが、絵だった。それが二十歳のときだった。

岡本は、ロンドンに一年住んでみて、日本に住んでいたときより、自分が大きく成長したと実感した。言葉も文化も違う国に住むことによって、大変な反面、もっと自分のためになるのではないかと思いはじめた。そして、ガウディ、ミロ、ダリなどが好きだったため、次にスペインのバルセロナを選んだ。

欧米各地を拠点に

最初のスペイン滞在後にフランスへ移動しようと手続きを進めていたが、学生ビザの問題でスペインから直接フランスに行くことができなかった。一度日本でビザを取り直す必要があったので、そのまま移動できるフランス語圏を探し、カナダのモントリオールへ移った。

彼はスペインには二度滞在している。二回目は、アメリカのコンペティションで受賞した際の条件のひとつに、スペインに数カ月滞在することが入っていたので、スペインのグラナダを拠点に制作活動をした。それは、受賞名、ハビエル・ゴンザレス賞のアーティストがスペイン出身などのためらしい。それ以前、最初にニューヨークに渡るときは、メキシコかどちらかで悩んだが、ニューヨークを選んだ理由は、アーティストとして生涯食べていくことを決めたので、そのキャリアとチャンスのためだ。

★《三ッ瀬に潜むナガサウルス》2022年、112x145.5cm、Acrylic

ニューヨークに住んで十年経ったころ、もう一度ヨーロッパのアートシーンを見てみようと思い、ベルリンがヨーロッパの現代アートの中心だとよく耳にしたので、拠点を移すことも考えて、試しに住んでみようと思った。ベルリン滞在中は美術館や博物館はもちろん、観光しながら歴史や生物をもとにコラージュ作品を作ったり、ギャラリーをめぐったりしていた。

フランシス・ベーコンに衝撃

彼が、ロンドン滞在時にテートギャラリーで見て衝撃を受けたのは、フランシス・ベーコンの《キリスト磔刑図を基盤とした三つの人物画の習作》(一九四四年)だった。それまで美術の教科書に載るような画家しか知らなかったため、衝撃だった。色や構図やモチーフのすべてにショックを受け、この作家のほかの作品も見たいと思い、それ以降ずっと気になっているという。振り返ると、岡本は自分の作品でも三連作をたびたび描き、生き物の口を開けた状態の絵が多くあり、威嚇を表す表現だと解釈しているが、このときの作品などからの影響かと思っているそうだ。

岡本の作品は、動物がテーマだ。絵を描き始めた当初から、基本的には動植物がモチーフだった。生物の生態に興味があり、それらを調べるなかで自分にとっての不思議が生まれ、その部分が作品のインスピレーションになっている。社会問題、自然環境や宇宙などにも関心があるので作品に現れるが、それも生物に遠からず関係があるからだろうという。また、敢えて動植物を描かない作品、抽象画やミクストメディア作品もある。

生物の生態を追求

岡本の作品は非常に細密である。彼は、幼いころから細かな作業が得意だった。現在も額や木枠を自作し、できる範囲は自分で作る。絵画はほとんど独学だが、二〇〇九年から「The Art Students League of NY」でペインティング

★《恐竜博物館のうわのそら》2022年、112x145.5cm、Acrylic

をはじめて、さまざまな技法を学んだ。ジョージ・グロスの教え子のロバート・セネデラに学び、彼の作品も細密で、画材や技法などアドバイスを受けている。石版画を始めたきっかけも、彼の勧めだった。

岡本は、作品に想像力を求めている。描写力よりも、だれも思いつかない空想的な作品になることを追求している。彼は、生物の生態を追求することで、想像力がかき立てられ、イメージが湧いてきて、それを作品にするので、幻想性が感じられるのだろう。幻想的な画家には、細密描写の人が多い。それは、事物を詳細に見つめ、そこから自分の表現を追求するため、自然と幻想世界が生まれるのではないだろうか。

日本での活動に意欲

岡本は、二〇一九年、日本での展覧会のために長めの一時帰国をした。ところがその際にコロナが始まり、海外はおろか県外へも出られないような状況になり、地元の長崎で活動してきた。そして関東では、二〇二三年十月の銀座・ぎゃらりぃ朋での四人展が初めての展示だ。十年以上、欧米各地で生活してきて培ったものが、作品の内部にはある。それが独特の幻想世界を生んでいるのではないだろうか。

岡本が惹かれる美術家は、ヒエロニムス・ボッシュ、伊藤若冲、フランシス・ベーコンなど、美術家以外は、アントニオ・ガウディ、ヴェルヴェット・アンダーグラウンド、サンテグジュペリをあげた。

岡本は、二〇二四年二月から、長崎市恐竜博物館の企画で個展を開催予定だ。帰国してから長崎県内での活動がほとんどだったため、県外で制作・発表の機会を作っていきたいという。関東、関西など、ぜひ幅広く展覧会を行い、岡本の特異な世界が多くの人の目に触れることを望みたい。日本で岡本泰彰の作品が注目されるのは、これからなのだ。

（志賀信夫）

◉文＝沙月樹京

TOPICS
10th Mediations Biennale

★オープニングでおこなわれた、ポーランドのタンツテアター劇団ロズバルクと日本の舞踏家によるダンスパフォーマンス「darkness around dullness...」。日本からは、舞踏で大岩巖、蛭田浩子、今野真弓が、箏・唄で岩田恵が参加。演出はアンナ・ピオトロフスカ。

さまざまな国、ジャンルのアートがイスタンブールに集った

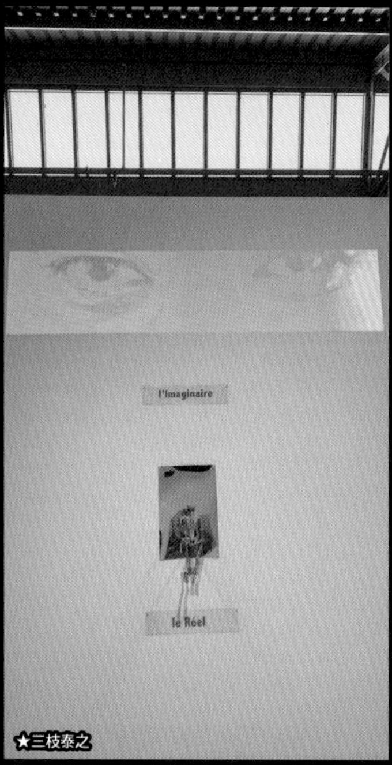

★三枝泰之

★山本伸樹

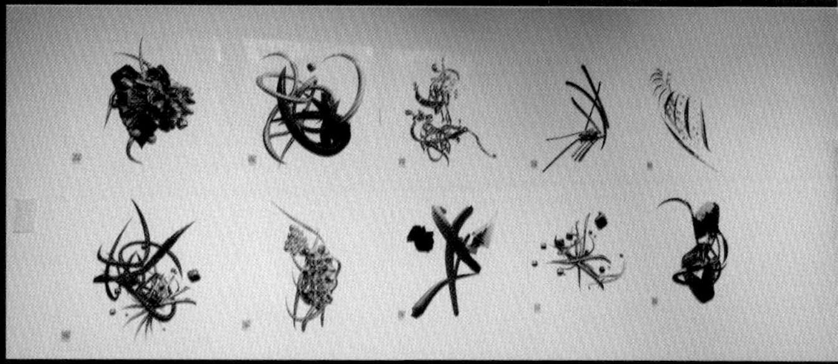

第10回アジア・ヨーロッパ・メディエーションズ・ビエンナーレが、トルコ共和国建国100年を記念し、イスタンブールのアートイスタンブール・フェシャネで開催された。このビエンナーレは2007年に「0ビエンナーレ」として初開催。アジアとヨーロッパ、そしてアメリカからもアーティストやキュレーターが集い、その共同作業を通じて政治、経済、文化などを超越した平和的で建設的かつ和解的な交流の実現を目指している。

今回は「私はもう一人のあなた、あなたはもう一人の私」をテーマに、アジアとヨーロッパの境界にあるイスタンブールで、両者の対話を企図。さまざまな国の17人のキュレーターが38カ国約170人のアーティストを招聘し、絵画や3D作品、写真、ビデオ、デジタルアートなど多様な作品が集った。そしてオープニングでは、ポーランドのタンツテアター劇団ロズバルクと日本の舞踏家とのコラボレーションによるダンスパフォーマンスが催された。

分断や対立が深まるこんにち、アートを通したこうした交流が、貴重な機会を提供しているといえよう。（沙月樹京）

※第10回アジア・ヨーロッパ・メディエーション・ビエンナーレは、2023年10月29日〜12月11日に、トルコのアートイスタンブール・フェシャネにて開催された。

健康美に文明批判をまぶす

西村 亨
NISHIMURA TORU

●文＝志賀信夫

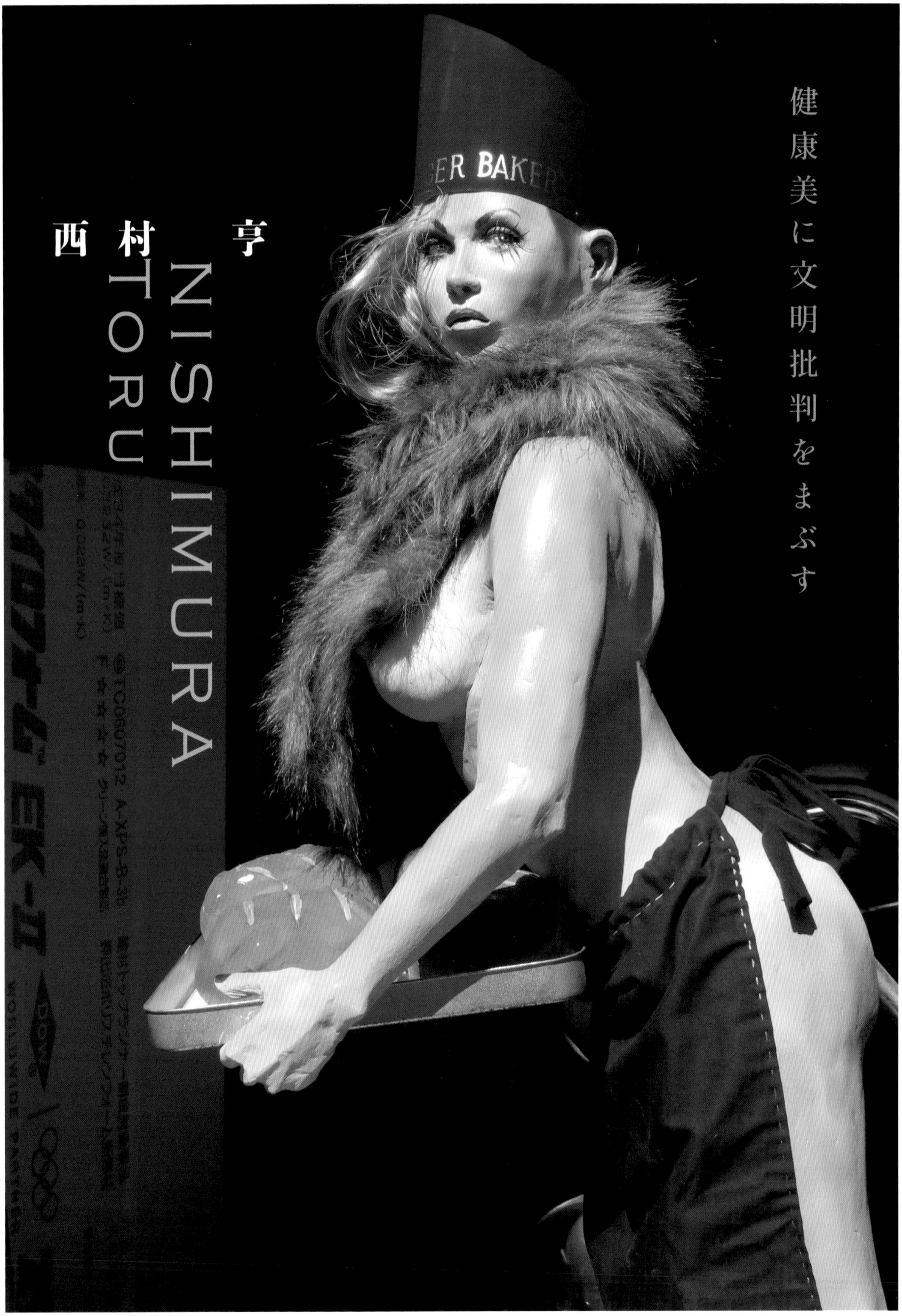

★《ベーカリーの娘》2016年、105cm、スタイロフォーム・ラドール・補強材

★(左頁右)《牛乳配達娘》2015年、104cm、スタイロフォーム・ラドール・補強材
(左頁左)《白い薔薇の精》2015年、105cm、スタイロフォーム・ラドール・補強材

MADE
READY MADE MILK

★（左）《オレンジ娘》2023年、110cm（右）《ドーナツ娘》2023年、106cm／いずれも、スタイロフォーム・ラドール・補強材

★左頁／（左）《白い薔薇の女王》2017年、107cm（右）《蛇口の娘》2017年、105cm／いずれも、スタイロフォーム・ラドール・補強材

★《かぼちゃを持つ娘》2023年、65cm、スタイロフォーム・ラドール・補強材

★（左頁）《アンモナイト娘》2018年、110cm、スタイロフォーム・ラドール・補強材

★柴田悦子画廊での展示風景（2023年）

ピンナップガールのような人形

いわゆる「人形」の概念をどこか逸脱しているように見える西村亨の作品。もちろん彫刻ではないのだが、人形というより造形作品という感じだろうか。それはおそらく、人形の多くは、パーツごとにつくるという身体の分断性があるものが多いのだが、西村の作品はそうではないからだ。しかし、彫刻のように、彫して刻する、あるいは彫塑するという感じでもない。自分の中のイメージデッサンをそのまま形にした感じなのだ。

そのテーマはアメリカンガールズ、そしてその軽いエロティシズム――エロスに軽いも重いもないといわれそうだが――そ

健康なエロス振りまく アメリカンドールズ

して軽いユーモア、皮肉っぽい感じ。わかりやすくいえば、その姿はピンナップガールのそれだ。アメリカの美女、ちょっとエロティックな女性の典型、みたいな感じだ。

美術においても、エロティシズムに批判的な目が向けられ、特にSNSなどではどんどん削除される時代。ミスコン否定や性の商品化に対する批判などもしばしば話題になる。しかし、性も何もすべてが商品化され、消費されるのは当然なのだが。マイノリティの擁護や性差別の是正のために、検閲的なものが広がっていくことは、却って自分たちを縛っていくことになりはしないか。そういった思いを浮き彫りにするのが、西村亨のドールズといってもいい。では、美大を出て、デザインセンターでイラストを仕事にしていた西村が、どうしてここにたどり着いたのか。

美大からデザインセンターへ

西村の父はサラリーマンだったが、美大卒だったので、それなりにアートのある環境で育った。学校でも図工だけは得意だったが、そのほかの学科は苦手だった。高校二年のときに、美術研究所に通い、デッサンの勉強を始めている。すでに美大へ進学すると決めていたからだ。そして、西村は多摩美術大学に入学する。大学ではそれなりの油画を描いていたという。そして、大学院に進んだが、いきなり立体作品を作り出した。すると、一九八六年、第二回日本オブジェ展で奨励賞を受賞する。それも人形作品だった。

彼は、大学院を修了すると、有名な日本デザインセンターでイラストの仕事をはじめた。そうして、広告業界の最前線で働いた。バブル景気だったが、あまりに忙しく厳しい仕事だったという。その頃好きだったイラストレーターはペーター・佐藤だ。その後フリーランスのイラストレーターとなる。そして、やや仕事が落ち着いてきたので、学生時代の続きとして、人形を作り始めたのだ。

明るい希望に満ちた健康美

西村の人形には、アメリカンポップなテーマが感じられる。彼は、一九六〇〜七〇年代の幼少期、テレビで観たアメリカのドラマ、アメリカ映画、フランス映画などに影響された。だがいまでは、アメリカへの憧れはほとんどなくなってしまったそうだ。それは、9・11以降、トランプのアメリカ、アメリカ中心主義が、より顕著に見えるようになったからだろうか。筆者も近い世代だが、近年アメリカの覇権主義

★《ピエロ》2023年、70cm、スタイロフォーム・ラドール・補強材

★《悲しみのアンモナイト娘》2017年、80cm、スタイロフォーム・ラドール・補強材

★作家制作風景（2017年）

には、より否定的にならざるをえないからだ。

彼の人形づくりは、スタイロフォームにラドール粘土を盛り、アクリルガッシュで着彩している。人形には珍しいが、造形作品という点では、ごくポピュラーだという。そして、西村自身、作品のテーマが軽いので、木彫やブロンズではちょっと違うと感じている。

彼の作品には、女性のエロスが感じられるが、あえて女性にも受け入れられる「健康美」を表向きの表現としているそうだ。だが、女性とバナナなどの象徴的な組み合わせには、ある種、物質文明や大量消費への批判、グローバルへの批判などをちりばめているという。

また、西村の人形の視線は、どれも上を向いている。それはどうしてか。彼にとって、上を向く目線は希望目線なのだ。かつて未来が明るく希望に燃えていた頃へのノスタルジーだという。

〝神人形〟をめざす

彼が美術以外で影響を受けたのは、音楽だそうだ。思春期より音楽は欠かさず、ビートルズから、セルジュ・ゲンズブール、ジョアン・ジルベルト、セルジオ・メンデス、など。音楽を聴いてイメージを膨らませるのも重要なローテーションだという。

そして、今後の活動について尋ねたところ、「やはり究極のドールを目指します〝神人形〟と呼ばれるまで」という言葉が返ってきた。西村亨のドールズの今後の展開に注目したい。

（志賀信夫）

与偶 YOGU

●写真＝田中流／文＝沙月樹京

苦しむ人の側に寄り添う人形を作りたい

★展示風景

★《アンジェラ》2022年、80cm、
胡粉・石塑・人毛・血液・パステル
／衣装：伊藤聡美

★《ドラクア》2021年、94cm、
胡粉・石塑・人毛・血液・パステル
／衣装：伊藤聡美

★《ブラックサフィア》2022年、76cm、
胡粉・石塑・人毛・血液・グラスアイ・パステル
／衣装：伊藤聡美

★《NAKO~cipher~》2023年、80cm、
人毛・石塑粘土・パステル・カラー芯・血液

★《ラグドール》2017年、83cm、樹脂粘土・グラスアイ

★《ウナム》2013年、90cm、石塑粘土・人毛・血液・イタチ毛皮

★《無題》2016年、55cm、モデリングキャスト・石塑粘土・山羊毛・血液

★《無題》1998年、47cm、石塑粘土・人毛・血液・黒猫ぬいぐるみ

★《レディチャッキー》2019年、85cm、
石塑粘土・人毛・血液

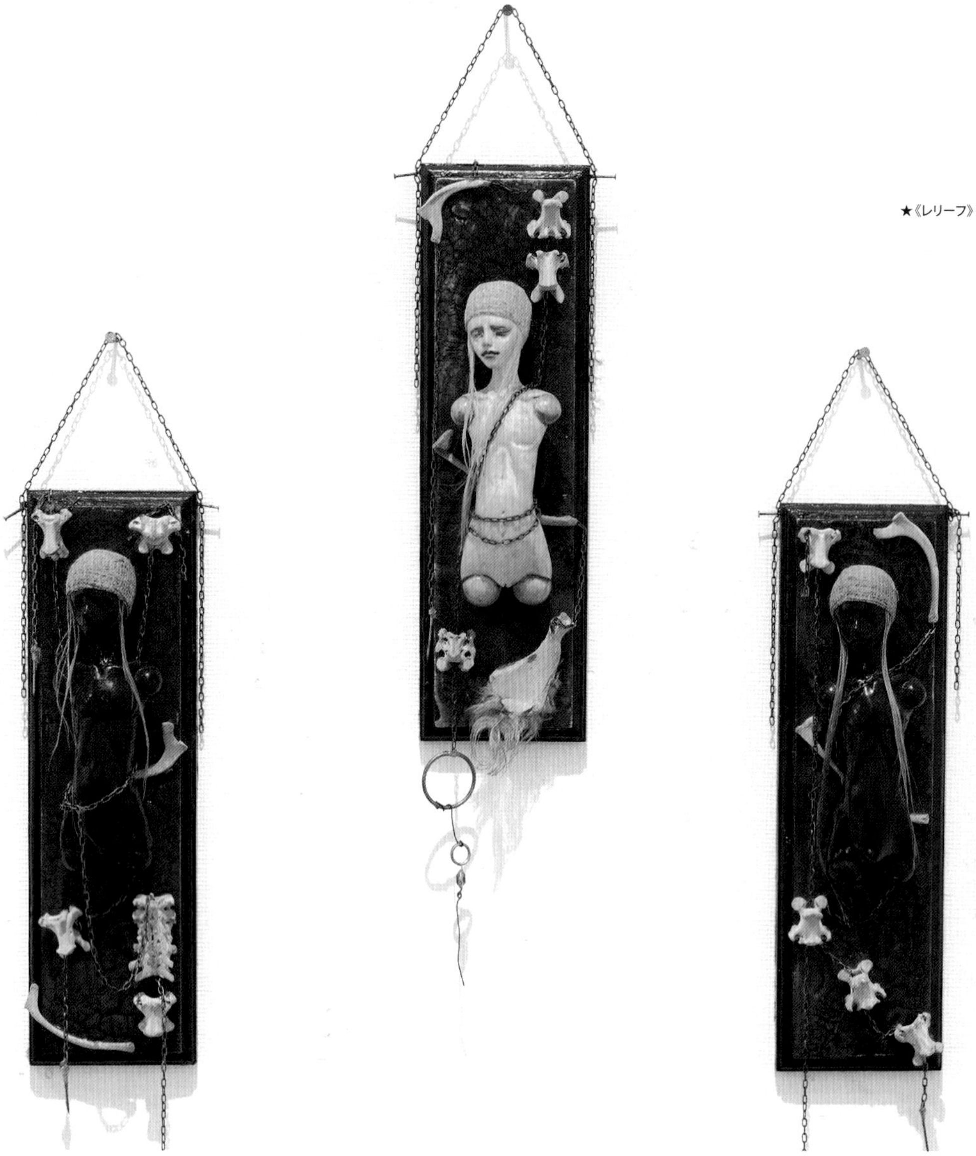

★《レリーフ》2006年、15cm、樹脂・人毛・鶏骨

★《赤とんぼ》樹脂粘土・羽・人毛・その他

★《シオカラトンボ》樹脂粘土・羽・人毛・その他

★《ホムンクルス》2023年、樹脂粘土・金属箔・クリスタルレジン・レーヨン

★《無題》2011年、27cm、樹脂粘土・魚骨・天然石

★《無題》樹脂

★《無題》2019年、12cm、樹脂粘土・包帯

★展示風景／お耽美写真家Kayと田中流の写真作品も展示された

★《シルビア》2019年、70cm、
石塑粘土・胡粉・血液・人毛

深く傷ついた心が生んだ睨む目、虚無を掴む指

鋭く睨みつける目、何かをかきむしりたいかのように力の入った指、ガリガリに痩せて肋骨の浮き出た胸――与偶の人形には、ただならぬ念が強く染み込んでいる。与偶が初めて人形を制作したのは高校の頃。独学だった。2000年に高校を卒業してからはアルバイトの傍ら人形制作に打ち込み、人形教室に加入して作品発表を開始。翌年には大塚英志の依頼でCD「ロリータの温度」のヴィジュアルのための人形を制作し、2002年には「季刊エス」創刊号に特集記事が掲載される。

初期から非常に完成度の高い作品を制作している与偶だが、その背景には、極めて熾烈な両親からの虐待があった。深く傷ついた心を持つがゆえ、先に挙げたような特質を持つ人形が生み出されているのだ。

与偶は、人格形成時から虐待されてきたせいで、心はまだ子供の時のままで、だから作る人形も幼いものが多いのだという。またその虚無を掴むかのような指は、もっと力を入れれば虚無を引き裂けるのではないかと、ますます激しい形相になる。そして鋭く睨む目は、苦しみを受けている人には優しく見守る目であり、暴力を与える者には呪詛を込めて睨み続ける目なのだという（トーキングヘッズ叢書（TH Seires）No.82掲載のインタビューより）。

与偶の作品には強烈なアクがあるが、それに癒やされる者も少なくない。今回の個展でも多くの人が訪れ、会場を埋め尽くした人形やフィギュア作品とじっくりと対峙していた。与偶は、苦しむ人、苦しめる人がいなくなるまで人形制作を続けるという。それを聞くと、その新作に出会えることがいいことなのか悪いことなのか、複雑な気分になるが、正直、与偶が制作をやめられる日はおそらく来ないだろう。だからなるべく安らかに制作を続けていってくれることを切に願う。（沙月樹京）

※与偶 人形作品展「死神に 喰り、牙を剥く」は、2023年9月28日～10月9日に、東京・銀座のヴァニラ画廊にて開催された。

FILE.39-13

©写真=田中流／文=沙月樹京

TOPICS

Velvet Knot Doll Exhibition 2023

—非日常に満たされた日常—

★因間りか《バニコ（黒）》

★小畑すみれ《少女》

★Sayuri《Bru Jne 4 in Blue dress》

★りのん《Yurika》

★（右頁）旧足立邸1階の展示風景。上は元食堂、下は元応接室。

★丸美鈴（左）《アリア》（右）《エリサ》

★因間りか《ココッテ》

★成《天》

★因間りか《バニコ（紫）》

★山吉由利子《ピンク兎》

★因間りか《マドモアゼル Kyw-ppon》

★山吉由利子《べべ》

★佐伯祐子《お花畑の帽子》

★秋山まほこ《少女兎 ベル・ラ・ビッタ》

★佐伯祐子《シロツメクサ》

★野口由里子（左）《Adhesion》（右）《Hurt strings》

★野口由里子《最果ての塔》

★陽月《Nova Luna》

★真咲《リュート》

★真咲（左）《クルム》（右）《ミゲル》

★y《Orlaya》

★野口由里子（左から）《Voyager 3》《Voyager 1》《Voyager 2》

★木村龍（左）《惜夏》（右）《サロメ》

★三浦悦子《時の異邦人》

★衣《「婦人」 ハルミジャーノ〈アンテア〉より 》

★2階和室での展示風景

★陽月《Blue Moon》

★（左頁）陽月《Luna Crescens》

創建当時の姿を受け継ぐ 建築遺産「旧足立邸」での 贅沢な人形展

相模湾に面し、御用邸のほか、著名人の自宅や別荘なども数多い葉山。そこに、王子製紙の取締役だった実業家・足立正が1933年に別荘として建てた洋館がある。イギリスの住宅建築でよく用いられた、柱や梁を外部に露出させたハーフティンバー様式で、洋室と和室による和洋折衷の館だ。設計は、早稲田大学大隈記念講堂や日比谷公会堂を手掛けた、早稲田大学の建築学科の創始者でもある佐藤功一によるもの。終戦後はGHQに接収され、その後オーナーが代わったが、浴室などを除いて大規模な改修がおこなわれることなく、創建当時の姿が守られてきた。

その「旧足立邸」が売却されることになったのは、2010年代。法人などが手を挙げ、取り壊して再開発する案もあったという。しかし当時のオーナーは、建物を取り壊すことなくここで暮らしてほしいとの希望を強く持ち、移転先として古い洋館を探していた現オーナー夫妻の手に渡ることになった。「旧足立邸」は葉山を代表する建築遺産として、2022年、国登録有形文化財にも登録されている。

さて、夫とともにその「旧足立邸」のオーナーとなったのが、西洋アンティークを扱うVelvet Knotを主宰する柴田結である。柴田はアンティークに携わる傍ら、長年にわたって人形展を企画し、Velvet Knotとしては、2019年に都内で人形展を開催。今回コロナ禍を経て4年ぶりに、「旧足立邸」を会場として、「Velvet Knot Doll Exhibition 2023」を開催した。

特筆すべきは、歴史ある洋館の趣に引けを取らない実力ある作家が集ったことだろう。逗子駅からバスで10分ほど。往時の裕福さが偲べる大きな門扉をくぐり、長いアプローチを進んでいくと、重厚な木の扉の玄関があり、中に入ると吹き抜けの階段ホール。圧倒されつつ展示会場に入れば、数多のアンティークに囲まれて人形たちが出迎えてくれる。参加作家は、秋山まほこ、因間りか、小畑すみれ、木村龍、佐伯祐子、Sayuri、成野口由里子、衣、陽月、真咲、丸美鈴、三浦悦子、山吉由利子、りのん、y。入ってすぐ目に入ってくるのが、丸美鈴による2体のビスクドール。他にも多くの人形たちが、古い家具の上や大きなオルゴールの中、ステンドグラスの前などでくつろいでいる。

2階にあがると、小ぶりな児女室のベッドに陽月の人形が妖しく身を横たえ、庭を臨む隣の和室は1階とは打って変わって畳敷きで、床の間や袋棚に、三浦悦子、木村龍、衣の作品が鎮座していた。

それらを巡る体験は、まさに非日常。しかし、長い間生活の場として維持されていることの場所は日常の空間でもあり、観る者はやがて、その「日常」に溶け込んでいくことを体感するのではなかろうか。それにしても人形は、古い建物やアンティークがよく似合う。それはよく言われることだが、人形そのものが永遠の時を生きているからだろう。朽ちることのない美をその中に湛え、永い時を生き続ける。Velvet Knotは、そうした人形たちを魅惑的に演出し、格別な体験をもたらしてくれた。

そして、「旧足立邸」は、2024年3月にも、出品作家を入れ替えて開催される。11月の展示を見逃した方も、もういちどあの空間を味わいたい方も、ぜひ出かけられたい。

（沙月樹京）

※「Velvet Knot Doll Exhibition 2023—非日常に満たされた日常—」は、2023年11月18日〜12月4日に、神奈川・葉山の旧足立邸にて開催された。

★Velvet Knot Doll Exhibition 2024—非日常に満たされた日常—
2024年3月9日（土）〜25日（月）※休館日：3月12・13・15・18・19・21日
11:00〜17:00（最終日は〜16:00）
入場料／1,000円（事前にチケットをお求めください）
出品作家／秋山まほこ、愛実、因間りか、オカムラノリコ、Os、木村龍、佐伯祐子、鮫島ユリ香、月、蕾、戸松容子、中嶋清八×内林武史、成、衣、華緒、陽月、FREAKS CIRCUS、ホシノリコ、水澄美恵子、y
場所／神奈川・葉山 旧足立邸（住所詳細はチケット購入時に案内あり）
チケット購入・詳細は https://velvet-knot.square.site/

◎TH Art series

◎画集

浅野勝美画集「Psyche（プシュケー）」
978-4-88375-504-2／B5判・64頁・ハードカバー・税別3000円
●妖しいきらめきに満ちた、澄んだ美の結晶――皆川博子、シェイクスピアの装画などで知られる、浅野勝美の耽美かつ幻想的な世界！

こやまけんいち絵本館「ガールグース -少女画帳-」
978-4-88375-512-7／A5判ヨコ・112頁・カバー装・税別2700円
●無垢な少女に、ぴりりスパイスきかせた作品に軽妙な詩や文を添えた、大人の絵本館。人気の絡繰りオルゴール作品も収録！

中井結画集「はじまりとおわりと、そのあいだ」
978-4-88375-507-3／B5判・96頁・カバー装・税別3091円
●アウトサイドを歩む異才が描く、秘密の園。可憐な少女、少年たちが惜しげもなくエロスを花開かせた耽美の劇場！待望の初画集！

宮本香那画集「おままごとのつづき」
978-4-88375-503-5／B5判・96頁・カバー装・税別3091円
●愛らしくて純粋で、だけどちょっぴり病んでいて…少女たちの、甘く歪んだ遊戯はおわらない。宮本香那の代表作をまとめた初画集！

中島祥子画集「生命樹と妖精猫たち」
978-4-88375-508-0／A4判・64頁・並製・税別2000円
●猫たちよ、どうか永遠に幸福に―愛された128の猫が妖精となって生命樹のまわりを舞う大作の全貌をおさめた記念碑的画集！！

九鬼匡規画集「あやしの繪姿［新装版］」
978-4-88375-493-9／A5判・64頁・カバー装・税別2000円
●こころ狂わす 美しき妖怪、怪異。妖怪や怪異を現代風な女性像になぞらえ、蠱惑的な美人画として描き出した、あやしき妖怪美人画集！

駕籠真太郎画集「死詩累々［新装版］」
978-4-88375-490-8／A4判・128頁・カバー装・税別3300円
●不謹慎かつ狂気的な漫画で人気を集める奇想漫画家・駕籠真太郎の、漫画以外の多彩なアートワークを凝縮した「超奇想画集」！

真珠子作品集「真珠子メモリアル～〝娘〟を育んだ20年」
978-4-88375-483-0／B5判・128頁・カバー装・税別3200円
●天衣無縫なガーリーアート！渋谷PARCOなどでの個展等、多彩な活動を続けている真珠子の20年の軌跡を凝縮した記念作品集！

椎木かなえ画集「虚の構築」
978-4-88375-475-5／A5判・64頁・ハードカバー・税別2700円
●無意識を彷徨い、構築する――形容し難い不可思議さ。シュールだけどユーモラス。椎木かなえが闇の中から構築した〝虚〟の世界！

イヂチアキコ画集「Dignity」
978-4-88375-462-5／A4判・48頁・並製・税別1500円
●日本画の手法により、現代に生きる少女の心性を寓意によって描き出してきたイヂチアキコ。画集『イルシオン』以降の作品を集約！

「楽園の美女たち Paradise Garden～現代美人画集」
978-4-88375-463-2／A4判・80頁・カバー装・税別2200円
●美しさ、艶やかさ、妖しさ…それぞれのスタイルで探究された現代美人画の数々。久下じゅんこ、樋口ひろ子、九鬼匡規など8作家収録！

たま画集「Deep Memories～少女主義的水彩画集VII」
978-4-88375-451-9／B5判・64頁・ハードカバー・税別2700円
●深く落ちた記憶の欠片、透明な絵の具で彩って、5つに束ねて留めました。記憶の底にある、可愛らしくも不気味な楽園にようこそ！

高田美苗作品集「箱庭のアリス」
978-4-88375-393-2／B5判・64頁・ハードカバー・税別2700円
●混合技法によるタブローから銅版画まで、少女をモチーフとした夢幻世界を描き続ける高田美苗の軌跡を集約した、待望の作品集！

森環画集「愛よりも奇妙～Stranger than love」
978-4-88375-264-5／B5判・64頁・ハードカバー・税別2750円
●なんて奇妙な、ワンダーランド！「ボローニャ国際絵本原画展」入選など、不思議な世界観で人気の画家の幻想的な鉛筆画集！

須川まきこ画集「melting～融解心情」
978-4-88375-137-2／A5判・112頁・ハードカバー・税別2800円
●欠けていることのエレガンスをセンシティブに描く須川まきこ待望の画集！〝まるで わたしは つくりものの 人形〟

市場大介画集「badaism」
978-4-88375-156-3／A5判・136頁・ハードカバー・税別2800円
●badaのカオス炸裂!! 過去作品から現在未来まで網羅した衝撃のアナーキー画集!!「わっ何だ、これは!!」―蛭子能収

◎北見隆作品集

北見隆装幀画集「書物の幻影」
978-4-88375-398-7／B5判・96頁・ハードカバー・税別3200円
●赤川次郎、恩田陸、中島らも、津原泰水…あのワクワクは、この絵とともにあった！40年の装幀画業から、約400点を収録した決定版画集！

北見隆作品集「本の国のアリス～存在しない書物を求めて」
978-4-88375-223-5／A5判・64頁・ハードカバー・税別2750円
●本そのものが、「アリス」の物語の、愉快な舞台（ワンダーランド）に！本の形をした"ブックアート"を中心に、不思議な物語に満ちた作品集!!

◎人形・オブジェ作品集

田中流 球体関節人形写真集「Dolls II～瞳に映る永遠の記憶」
978-4-88375-480-9／A5判・96頁・カバー装・税別2500円
●「Dolls～瞳の奥の静かな微笑み」に続く人形写真集。可愛いものから個性的なものまで、23人の作家の多彩な人形作品を掲載！

田中流 球体関節人形写真集「Dolls～瞳の奥の静かな微笑み」
978-4-88375-373-4／A5判・96頁・カバー装・税別2300円
●若手からベテランまで、多彩なタイプの球体関節人形を撮影し、その魅力とともに、現代の創作人形の潮流をも写した写真集!!

清水真理 人形作品集「VITA NOVA～革命の天使」
978-4-88375-464-9／B5判・64頁・ハードカバー・税別2700円
●ハルピンの束の間の栄華と、刹那的な享楽。球体関節人形と人形オブジェで、歴史の陰翳の中に生きた者たちを描き出した幻影の劇場！

神宮字光 人形作品集「Cocon」
978-4-88375-378-9／A5判・64頁・ハードカバー・税別2700円
●ビスクなどで作られた愛おしい人形達がさまざまなシチュエーションの中で遊ぶ、かわいくも、ときにシュールでミラクルな世界！

ホシノリコ 作品集「蒼燈のばら」
978-4-88375-326-0／B5判・64頁・ハードカバー・税別2750円
●艶かしく息づく球体関節人形、幻想的な物語奏でるオブジェ。ホシノの10年の歩みをまとめた待望の作品集！写真＝吉田良、田中流

与偶 人形作品集「フルケロイド FULLKELOID DOLLS」
978-4-88375-265-2／A5判・68頁・ハードカバー・税別2750円
●園子温推薦！多くの人の心に突き刺さっている、凄みのある作品たち。20年の作家生活をここに総括。横4倍になる綴じ込み2枚付！

森馨 人形作品集「Ghost marriage～冥婚～」
978-4-88375-236-2／B5判・64頁・ハードカバー・税別2750円
●妖しい美しさと、哀しいエロスを湛えた、森馨の球体関節人形。その蠱惑的な肢体を写真家・吉成行夫が撮影した、闇の色香ただよう写真集！

木村龍 作品集「光速ノスタルジア」
978-4-88375-245-4／B5判・96頁・ハードカバー・税別3500円
●ボックスアートから影像的作品、球体関節人形、絵画などまで、妖美で奇碼、かつ純真な世界を濃密に凝縮した、待望の初作品集！！

◎話題書

「サロメ幻想～ワイルド、ビアズリーから現代作家まで」
978-4-88375-476-2／A5判・112頁・並製・税別1800円
●「サロメ」の魅力を、ビアズリーの挿画、ワイルドとビアズリーの運命、サロメを描いた絵画の変遷、現代作家の作品などを通して俯瞰！

「伊藤晴雨の世界1［秘蔵写真集］責めの美学の研究 風俗資料館資料選集」
978-4-88375-510-3／A5判変型・128頁・カバー装・税別2000円
●明治～昭和の稀代の責め絵師・伊藤晴雨がかかわったとおぼしき、生々しくも美しい責め写真の数々を収録した、ファン垂涎の写真集！

「秘匿の残酷絵巻［増補新装版］～臼井静洋・四馬孝・観世一則」
978-4-88375-496-0／A5判変型・160頁・カバー装・税別2200円
●ひとりのために描かれた臼井静洋、四馬孝の残酷絵。卓越した観世一則の責め絵。貴重で特異な作品たち！カラー・モノクロともに増量した新装版。

芳賀一洋 作品集「錠前屋のルネはレジスタンスの仲間」
978-4-88375-331-4／A5判・224頁・並製・税別2222円
●リアルにつくり上げられた驚きのミニチュア・ワールド！はが いちよう の 抒情あふれる世界をおさめた、ノスタルジックな作品集。

「甲秀樹 人体デッサン 男性ポーズ集 ディープシーン」
978-4-88375-455-7／B5判・160頁・ハードカバー・税別2700円
●ソロ、回転アングル、フェティッシュ、絡みなど裸体ポーズ写真を約500点収録。こんなディープシーンを描きたかった！絵描きのバイブル！

◎写真集

七菜乃 写真集「LONG VACATION」
978-4-88375-500-4／B5判・144頁・カバー装・税別3800円
●青空のもとに解き放たれた、裸身たちの美景。多様な個性の裸体のフォルムで、夢幻の光景を描き出した、集団ヌード写真集！

村田兼一 写真集「宵待姫 十三夜」
978-4-88375-469-4／B5判・96頁・ハードカバー・税別3200円
●村田兼一の原点、禁断の手彩色写真集！エロスとタナトスが交錯する13の秘密の夜。自身が見た夢などを添えた濃密な魔術的世界。

珠かな子 写真集「蜜の魔法」
978-4-88375-489-2／B5判・80頁・カバー装・税別2500円
●幸せの魔法が強くなるように――11人のモデルを優しくリスペクトする視線で、エロスとイノセンスをあわせ持つ魅力を写した写真集。

美島菊名 写真作品集「HOPE」
978-4-88375-308-6／B5判・64頁・ハードカバー・税別2750円
●少女よ あなたは 世界を変える――少女の無垢と欲望を、インパクトあるヴィジュアルで表現してきた美島菊名、初の写真作品集！

谷敦志 写真集「Flowers and Nudes」
978-4-88375-284-3／A4判・64頁・ハードカバー・税別3800円
●透き通るような静けさをまとう、ヌードと花。進化し続ける孤高のアーティストの「今」が詰まった、最新写真集！A4サイズの豪華版！

◎ExtrART（エクストラート）～異端派ヴィジュアルアート誌

file.38◎FEATURE：時や文化、生死を超えて
A4判・112頁・並装・1318円（税別）・ISBN978-4-88375-506-6
●大島利佳、傘嶋メグ、門坂流、Sotaro Oka、土谷寛枇、中井結、中島華映、平野真美、吉田有花、瑠雪、にんぎょう うらら展、三代目彫よし×空山基、他

file.37◎FEATURE：幻視者たちが見たリアル
A4判・112頁・並装・1318円（税別）・ISBN978-4-88375-499-1
●サワダモコ、椎木かなえ、真珠子、神野歌音、スミシャ、冨岡想、夏目羽七海、丹羽起史、ひらのにこ、美濃瓢吾、山上真智子、横尾龍彦、他

file.36◎FEATURE：白昼夢の劇場／少女の遊戯
A4判・112頁・並装・1250円（税別）・ISBN978-4-88375-492-2
●朱華、SAKURA、大野泰雄、森本ありや、石松チ明、Zihling、濱口真央、中井結、緋衣汝香優理、喜藤敦子、佐藤文音、山田ミンカ、都築琴乃（遊）ほか

file.35◎FEATURE：幻想の王国へ、ようこそ。
A4判・112頁・並装・1250円（税別）・ISBN978-4-88375-486-1
●エセム万、網代幸介、塚本紗知子、松本ナオキ、ミルヨウコ、雛菜雛子、塚本穴骨、田中流、下山直紀、村上仁美、沖綾乃、ジュリエットの数学、すうひゃん。

file.34◎FEATURE：美のゆらぎ、闇の鼓動
A4判・112頁・並装・1250円（税別）・ISBN978-4-88375-479-3
●三谷拓也、高久梓、安藤朱里、日野まき、藤浪理恵子、西村藍、六原龍、戸田和子、SRBGENk、shichigoro-shingo、雪駄、異形のヴンダーカンマー展

file.33◎FEATURE：聞こえぬ声を聞く
A4判・112頁・並装・1250円（税別）・ISBN978-4-88375-471-7
●土谷寛枇、小野隆生、Sui Yumeshima、鶴見厚子大西茅布、芳賀一洋、駒形克哉、清水真理、松平一民、TARO賞展、i.m.a.展

file.32◎FEATURE：たましいの棲むところ
A4判・112頁・並装・1200円（税別）・ISBN978-4-88375-466-3
●衣[hatori]、安藤榮作、村上仁美、西條冴子、FREAKS CIRCUS、岡本瑛里、宮崎まゆ子、前田彩華、アンタカンタ、たま、mumei、真木環

file.31◎FEATURE：動物と花のワンダー！
A4判・112頁・並装・1200円（税別）・ISBN978-4-88375-459-5
●石塚隆則、吉田泰一郎、森勉、水野里奈、萩原和奈可、永見由子、珠かな子、椎木かなえ、金澤弘太、雫石知之、Sitry、呪みちる×古川沙織

file.30◎FEATURE：揺らぐ心象の迷宮
A4判・112頁・並装・1200円（税別）・ISBN978-4-88375-452-6
●宮本香那、ÔБ、川上勉、高松潤一郎、田中流、大山菜々子、塩野ひとみ、かつまたひでゆき、Ma marumaru、シン・ニッポン風土記 ほか

file.29◎FEATURE：見る／見えることの異相
A4判・112頁・並装・1200円（税別）・ISBN978-4-88375-442-7
●金巻芳俊、倉崎稜希、泥方陽菜、山村まゆ子、根橋洋一、平良志季、畫正、吉田有花、高齊りゅう、奥村あか、須川まきこ ほか

file.28◎FEATURE：少女への夢想曲
A4判・112頁・並装・1200円（税別）・ISBN978-4-88375-436-6
●イチチアキコ、くるはらきみ、九鬼匡規、鈴木那奈、傘嶋メグ、蕾／pick up＝吉岡里奈、中尾変、吉田和夏、清水真理、田中流、林美登利

file.25◎FEATURE：ヒトガタは語る
A4判・112頁・並装・1200円（税別）・ISBN978-4-88375-408-3
●三浦悦子、Mekkedori、ヒロタサトミ、垂狐、田野敦司、日隈愛香、横倉裕司、羅入、成田朱希、サワダモコ、山本有彩、塙興子ほか

file.12◎FEATURE：愛しき、ヒトガタ
A4判・112頁・並装・1200円（税別）・ISBN978-4-88375-257-7
●中嶋清八、木村龍、宮崎郁子、清水真理、野口由里子、神宮字光、ジュール・パスキン、古川沙織、江村玲、池田俊彦、相壁琢人 ほか

◎トーキングヘッズ叢書（TH Seires）

No.96 GOTHIC-R ゴシック再興～闇に染まれ
A5判・208頁・並装・1500円（税別）・ISBN978-4-88375-509-7
●「ゴシック」を知ることは、不安や恐怖を手なづけることだ。ゴシックの源流から、ゴシックの精神を受け継いだ現代の作品まで――ゴシック精神とは何か／ドール／ゴシックと廃墟美／身体改造国際会議／クィアでフリークな南部ゴシック／ミツバチのささやき などなど。特集以外にもレビューなど盛りだくさん！

No.95 SWEET POISON～甘美な毒
A5判・208頁・並装・1444円（税別）・ISBN978-4-88375-502-8
●毒を知ることは、人間中心の価値観から脱皮すること。その甘美な魅惑とは？ 松永天馬（アーバンギャルド）インタビュー、ろくでなし子×森下泰輔展、童話の中の少女はなぜ毒を受け取ってしまうのか、子どもにひそむ悪と毒、十九世紀英文学とアヘン、毒薬とミステリー、美貌の毒殺魔・ブランヴィリエ侯爵夫人ほか

No.94 ネイキッド～身も心も、むきだし。
A5判・208頁・並装・1444円（税別）・ISBN978-4-88375-494-6
●心の枷を解き放とう――そう訴えかけてくるものたち。七菜乃、真珠子、村田兼一、ストロベリーソングオーケストラ、加藤かほる、ゲルハルト・リヒターの肖像、羞恥心考、『まぼろしの市街戦』、エゴン・シーレの歪なエロス、公衆浴場、異物としての裸体、翼と裸体、ありのままの「脱ぎ恥」論、結城唯善インタビューほか

No.93 美と恋の位相／偏愛のカタチ
A5判・224頁・並装・1444円（税別）・ISBN978-4-88375-488-5
●「美」に幻惑され、偏愛的、狂的、病的な愛に憑かれた者たちの物語――美しき吸血鬼像、クレオパトラ、ベニスに死す、桜の森の満開の下、乱歩式人形愛の美学、ヴェルレーヌと美少年ランボー、少女人形フランシーヌが見せた夢、コスプレで上流階級を魅了した美女エマ・ハミルトン、八田拳（みこいす）インタビュー他

No.92 アヴァンギャルド狂詩曲～そこに未来は見えたか？
A5判・224頁・並装・1444円（税別）・ISBN978-4-88375-481-6
●新たな価値観を創出することを志したアヴァンギャルド的表現を見直し、新たな多様な表現を眺望してみよう！ マン・レイ、合田佐和子、田部光子、ヴェネチア・ビエンナーレ、舞踏はいまも前衛か、きゅんくんインタビュー、アヴァンギャルド映画、未来派とバウハウス、寺山修司による『市街劇ノック』、月刊漫画ガロの足跡他

No.91 夜、来たるもの～マジカルな時間のはじまり
A5判・224頁・並装・1444円（税別）・ISBN978-4-88375-473-1
●「魔」的なものが支配する時間、それが夜だ！ 神は闇を渡る、『稲生物怪録』、児童文学と少年少女の夜、裸のラリーズという《夜の夢》、ドイツ表現主義映画、『ナイトホークス』、稲垣足穂、埴谷雄高、『百億の昼と千億の夜』、妖精たちの長くて短い夜、『夜のガスパール』、金縛り・過眠症・夢遊病、高千穂の夜神楽他

No.90 ファム・ファタル／オム・ファタル～狂おしく甘美な破滅
A5判・224頁・並装・1389円（税別）・ISBN978-4-88375-467-0
●危険な魔性の女、魔性の男たち――エヴァ、イザナミからラムまで、かぐや姫の正体、女奇術師・松旭斎天勝、カサノヴァの艶なる恋、高級娼婦コーラ・パール、クラーナハ、ジャンヌ・モロー、松本俊夫『薔薇の葬列』、キューブリック、横溝正史の美少年像、オペラ『カルメン』、妲己のお百、トレヴァー・ブラウン、アーバンギャルド他

No.89 魔都市狂騒～都市の闇には、物語がある。
A5判・224頁・並装・1389円（税別）・ISBN978-4-88375-461-8
●都市の狂騒的な享楽と、頽廃的な闇――上海、ベルリン、ニューヨーク、円都と歌姫、東洋の魔窟・九龍城砦、酔いどれと怪物～大都市ロンドン近代化の影、コペンハーゲンにあるヒッピーたちの独立自治村、美魔都市・京都、観音、遊郭から一大歓楽街へ～浅草の歴史、ゴッサム・シティの光と影、都市から生まれる都市伝説他

アトリエサードの出版物の購入のしかた・通信販売のご案内

●アトリエサードの出版物が書店店頭にない場合は、書店へご注文下さい（発売＝書苑新社と指定して下さい。全国の書店からOK）。
●Amazonなどネット書店もご活用下さい。

●出版物の詳細はサイト http://www.a-third.com/ へ！ ネット通販でもご購入できます。
■各書籍の詳細画面でショッピングカートがご利用になれます。■郵便振替／代金引換／PayPal で決済可能。

■インターネットをご利用になれない方は、郵便局より郵便振替にて直接ご送金いただいても結構です（ここに掲載している値段は税別なので、必ず消費税を加算して下さい。送料は不要。また連絡欄に希望書名・冊数を明記のこと）。入金の通知が届き次第、発送します（お手元に届くまで、だいたい5～10日ほどお待ち下さい）。振込口座／00160－8－728019　加入者名／有限会社アトリエサード
■また TEL.03-6304-1638 にお電話いただければ、代金引換での発送も可能です（取扱手数料350円が別途かかります）

出版物一覧
アトリエサード HP
AMAZON（書苑新社発売の本）